# *Das Tabu und die Ambivalenz der Gefühlsregungen*

## Sigmund Freud

Contact : infos@culturea.fr
ISBN : 979-10-418-2137-2
Legal deposit : July 2023

# 1

Tabu ist ein polynesisches Wort, dessen Übersetzung uns Schwierigkeiten bereitet, weil wir den damit bezeichneten Begriff nicht mehr besitzen. Den alten Römern war er noch geläufig; ihr sacer war dasselbe wie das Tabu der Polynesier. Auch das ἄγος der Griechen, das Kodausch der Hebräer muß das nämliche bedeutet haben, was die Polynesier durch ihr Tabu, viele Völker in Amerika, Afrika (Madagaskar), Nord- und Zentral-Asien durch analoge Bezeichnungen ausdrücken.

Uns geht die Bedeutung des Tabu nach zwei entgegengesetzten Richtungen auseinander. Es heißt uns einerseits: heilig, geweiht, anderseits: unheimlich, gefährlich, verboten, unrein. Der Gegensatz von Tabu heißt im Polynesischen noa = gewöhnlich, allgemein zugänglich. Somit haftet am Tabu etwas wie der Begriff einer Reserve, das Tabu äußert sich auch wesentlich in Verboten und Einschränkungen. Unsere Zusammensetzung »heilige Scheu« würde sich oft mit dem Sinn des Tabu decken.

Die Tabubeschränkungen sind etwas anderes als die religiösen oder die moralischen Verbote. Sie werden nicht auf das Gebot eines Gottes zurückgeführt, sondern verbieten sich eigentlich von selbst; von den

Moralverboten scheidet sie das Fehlen der Einreihung in ein System, welches ganz allgemein Enthaltungen für notwendig erklärt und diese Notwendigkeit auch begründet. Die Tabuverbote entbehren jeder Begründung; sie sind unbekannter Herkunft; für uns unverständlich, erscheinen sie jenen selbstverständlich, die unter ihrer Herrschaft stehen.

Wundt nennt das Tabu den ältesten ungeschriebenen Gesetzeskodex der Menschheit. Es wird allgemein angenommen, daß das Tabu älter ist als die Götter und in die Zeiten vor jeder Religion zurückreicht.

Da wir einer unparteiischen Darstellung des Tabu bedürfen, um dieses der psychoanalytischen Betrachtung zu unterziehen, lasse ich nun einen Auszug aus dem Artikel »Taboo« der »Encyclopedia Britannica« folgen, der den Anthropologen Northcote W. Thomas zum Verfasser hat.

»Streng genommen umfaßt tabu nur *a*) den heiligen (oder unreinen) Charakter von Personen oder Dingen, *b*) die Art der Beschränkung, welche sich aus diesem Charakter ergibt und *c*) die Heiligkeit (oder Unreinheit), welche aus der Verletzung dieses Verbotes hervorgeht. Das Gegenteil von tabu heißt in Polynesien ›noa‹, was ›gewöhnlich‹ oder ›gemein‹ bedeutet ...«

»In einem weiteren Sinne kann man verschiedene Arten von Tabu unterscheiden: 1. Ein natürliches oder direktes Tabu, welches das Ergebnis einer geheimnisvollen Kraft (Mana) ist, die an einer Person oder Sache haftet; 2. ein mitgeteiltes oder indirektes Tabu, das auch von jener Kraft ausgeht, aber entweder *a*) erworben ist, oder *b*) von einem Priester, Häuptling oder sonst wem übertragen; endlich 3. ein Tabu, das zwischen den beiden anderen die Mitte hält, wenn nämlich beide Faktoren in Betracht kommen, wie z. B. bei der Aneignung eines Weibes durch einen Mann. Der Name Tabu wird auch auf andere rituelle Beschränkungen angewendet, aber man sollte alles, was besser religiöses Verbot heißen könnte, nicht zum Tabu rechnen.«

»Die Ziele des Tabu sind mannigfacher Art: Direkte Tabu bezwecken *a*) den Schutz bedeutsamer Personen, wie Häuptlinge, Priester, und Gegenstände u. dgl. gegen mögliche Schädigung; *b*) die Sicherung der Schwachen – Frauen, Kinder und gewöhnlicher Menschen im allgemeinen – gegen das mächtige Mana (die magische Kraft) der Priester und Häuptlinge; *c*) den Schutz gegen Gefahren, die mit der Berührung von Leichen, mit dem Genuß gewisser Speisen usw. verbunden sind; *d*) die Versicherung gegen die Störung wichtiger Lebensakte, wie Geburt, Männerweihe, Heirat, sexuelle Tätigkeiten; *e*) den Schutz menschlicher Wesen gegen die Macht oder den Zorn von Göttern und Dämonen; *f*) die Behütung Ungeborener und kleiner Kinder gegen die mannigfachen Gefahren, die ihnen infolge ihrer besonderen sympathetischen Abhängigkeit von ihren Eltern drohen, wenn diese z. B. gewisse Dinge tun oder Speisen zu sich nehmen, deren Genuß den Kindern besondere

Eigenschaften übertragen könnte. Eine andere Verwendung des Tabu ist die zum Schutz des Eigentums einer Person, seiner Werkzeuge, seines Feldes usw. gegen Diebe.«

»Die Strafe für die Übertretung eines Tabu wird wohl ursprünglich einer inneren, automatisch wirkenden Einrichtung überlassen. Das verletzte Tabu rächt sich selbst. Wenn Vorstellungen von Göttern und Dämonen hinzukommen, mit denen das Tabu in Beziehung tritt, so wird von der Macht der Gottheit eine automatische Bestrafung erwartet. In anderen Fällen, wahrscheinlich infolge einer weiteren Entwicklung des Begriffes, übernimmt die Gesellschaft die Bestrafung des Verwegenen, dessen Vorgehen seine Genossen in Gefahr gebracht hat. So knüpfen auch die ersten Strafsysteme der Menschheit an das Tabu an.«

»Wer ein Tabu übertreten hat, der ist dadurch selbst tabu geworden. Gewisse Gefahren, die aus der Verletzung eines Tabu entstehen, können durch Bußhandlungen und Reinigungszeremonien beschworen werden.«

»Als die Quelle des Tabu wird eine eigentümliche Zauberkraft angesehen, die an Personen und Geistern haftet, und von ihnen aus durch unbelebte Gegenstände hindurch übertragen werden kann. Personen oder Dinge, die tabu sind, können mit elektrisch geladenen Gegenständen verglichen werden; sie sind der Sitz einer furchtbaren Kraft, welche sich durch Berührung mitteilt und mit unheilvollen Wirkungen entbunden wird, wenn der Organismus, der die Entladung hervorruft, zu schwach ist, ihr zu widerstehen. Der Erfolg einer Verletzung des Tabu hängt also nicht nur von der Intensität der magischen Kraft ab, die an dem Tabu-Objekt haftet, sondern auch von der Stärke des Mana, die sich dieser Kraft bei dem Frevler entgegensetzt. So sind z. B. Könige und Priester Inhaber einer großartigen Kraft, und es wäre Tod für ihre Untertanen, in unmittelbare Berührung mit ihnen zu treten, aber ein Minister oder eine andere Person von mehr als gewöhnlichem Mana kann ungefährdet mit ihnen verkehren, und diese Mittelspersonen können wiederum ihren Untergebenen die Annäherung gestatten, ohne sie in Gefahr zu bringen. Auch mitgeteilte Tabu hängen in ihrer Bedeutung von dem Mana der Person ab, von der sie ausgehen; wenn ein König oder Priester ein Tabu auferlegt, ist es wirksamer, als wenn es von einem gewöhnlichen Menschen käme.«

Die Übertragbarkeit eines Tabu ist wohl jener Charakter, der dazu Veranlassung gegeben hat, seine Beseitigung durch Sühnezeremonien zu versuchen.

»Es gibt permanente und zeitweilige Tabu. Priester und Häuptlinge sind das erstere, ebenso Tote, und alles, was zu ihnen gehört hat. Zeitweilige Tabu schließen sich an gewisse Zustände an, so an die Menstruation und das Kindbett, an den Stand des Kriegers vor und nach der Expedition, an die

Tätigkeiten des Fischens und Jagens u. dergl. Ein allgemeines Tabu kann auch wie das kirchliche Interdikt über einen großen Bezirk verhängt werden und dann jahrelang anhalten.«

Wenn ich die Eindrücke meiner Leser richtig abzuschätzen weiß, so getraue ich mich jetzt der Behauptung, sie wüßten nach all diesen Mitteilungen über das Tabu erst recht nicht, was sie sich darunter vorzustellen haben, und wo sie es in ihrem Denken unterbringen können. Dies ist sicherlich die Folge der ungenügenden Information, die sie von mir erhalten haben, und des Wegfalls aller Erörterungen über die Beziehung des Tabu zum Aberglauben, zum Seelenglauben und zur Religion. Aber anderseits fürchte ich, eine eingehendere Schilderung dessen, was man über das Tabu weiß, hätte noch verwirrender gewirkt, und darf versichern, daß die Sachlage in Wirklichkeit recht undurchsichtig ist. Es handelt sich also um eine Reihe von Einschränkungen, denen sich diese primitiven Völker unterwerfen; dies und jenes ist verboten, sie wissen nicht warum, es fällt ihnen auch nicht ein, danach zu fragen, sondern sie unterwerfen sich ihnen wie selbstverständlich und sind überzeugt, daß eine Übertretung sich von selbst auf die härteste Weise strafen wird. Es liegen zuverlässige Berichte vor, daß die unwissentliche Übertretung eines solchen Verbotes sich tatsächlich automatisch gestraft hat. Der unschuldige Missetäter, der z. B. von einem ihm verbotenen Tier gegessen hat, wird tief deprimiert, erwartet seinen Tod und stirbt dann in allem Ernst. Die Verbote betreffen meist Genußfähigkeit, Bewegungs- und Verkehrsfreiheit; sie scheinen in manchen Fällen sinnreich, sollen offenbar Enthaltungen und Entsagungen bedeuten, in anderen Fällen sind sie ihrem Inhalt nach ganz unverständlich, betreffen wertlose Kleinigkeiten, scheinen ganz von der Art eines Zeremoniells zu sein. All diesen Verboten scheint etwas wie eine Theorie zugrunde zu liegen, als ob die Verbote notwendig wären, weil gewissen Personen und Dingen eine gefährliche Kraft zu eigen ist, die sich durch Berührung mit dem so geladenen Objekt überträgt, fast wie eine Ansteckung. Es wird auch die Quantität dieser gefährlichen Eigenschaft in Betracht gezogen. Der eine oder das eine hat mehr davon als der andere und die Gefahr richtet sich geradezu nach der Differenz der Ladungen. Das Sonderbarste daran ist wohl, daß, wer es zustande gebracht hat, ein solches Verbot zu übertreten, selbst den Charakter des Verbotenen gewonnen, gleichsam die ganze gefährliche Ladung auf sich genommen hat. Diese Kraft haftet nun an allen Personen, die etwas Besonderes sind, wie Könige, Priester, Neugeborene, an allen Ausnahmszuständen wie die körperlichen der Menstruation, der Pubertät, der Geburt, an allem Unheimlichen wie Krankheit und Tod, und was kraft der Ansteckungs- oder Ausbreitungsfähigkeit damit zusammenhängt.

»Tabu« heißt aber alles, sowohl die Personen als auch die Örtlichkeiten,

Gegenstände und die vorübergehenden Zustände, welche Träger oder Quelle dieser geheimnisvollen Eigenschaft sind. Tabu heißt auch das Verbot, welches sich aus dieser Eigenschaft herleitet, und Tabu heißt endlich seinem Wortsinn nach etwas, was zugleich heilig, über das Gewöhnliche erhaben wie auch gefährlich, unrein, unheimlich umfaßt.

In diesem Wort und in dem System, das es bezeichnet, drückt sich ein Stück Seelenleben aus, dessen Verständnis uns wirklich nicht nahe gerückt erscheint. Vor allem sollte man meinen, daß man sich diesem Verständnis nicht nähern könne, ohne auf den für so tiefstehende Kulturen charakteristischen Glauben an Geister und Dämonen einzugehen.

Warum sollen wir überhaupt unser Interesse an das Rätsel des Tabu wenden? Ich meine, nicht nur, weil jedes psychologische Problem an sich des Versuches einer Lösung wert ist, sondern auch noch aus anderen Gründen. Es darf uns ahnen, daß das Tabu der Wilden Polynesiens doch nicht so weit von uns abliegt, wie wir zuerst glauben wollten, daß die Sitten- und Moralverbote, denen wir selbst gehorchen, in ihrem Wesen eine Verwandtschaft mit diesem primitiven Tabu haben könnten, und daß die Aufklärung des Tabu ein Licht auf den dunkeln Ursprung unseres eigenen »kategorischen Imperativs« zu werfen vermöchte.

Wir werden also in besonders erwartungsvoller Spannung aufhorchen, wenn ein Forscher wie W. Wundt uns seine Auffassung des Tabu mitteilt, zumal da er verspricht, »zu den letzten Wurzeln der Tabuvorstellungen zurückzugehen«.

Vom Begriff des Tabu sagt Wundt, daß es »alle die Bräuche umfaßt, in denen sich die Scheu vor bestimmten mit den kultischen Vorstellungen zusammenhängenden Objekten oder vor den sich auf diese beziehenden Handlungen ausdrückt«.

Ein andermal: »Verstehen wir darunter (unter dem Tabu), wie es dem allgemeinsten Sinn des Wortes entspricht, jedes in Brauch und Sitte oder in ausdrücklich formulierten Gesetzen niedergelegte Verbot, einen Gegenstand zu berühren, zu eigenem Gebrauch in Anspruch zu nehmen oder gewisse verpönte Worte zu gebrauchen .....«, so gebe es überhaupt kein Volk und keine Kulturstufe, die der Schädigung durch das Tabu entgegen wäre.

Wundt führt dann aus, weshalb es ihm zweckmäßiger erscheint, die Natur des Tabu an den primitiven Verhältnissen der australischen Wilden als in der höheren Kultur der polynesischen Völker zu studieren. Bei den Australiern ordnet er die Tabuverbote in drei Klassen, je nachdem sie Tiere, Menschen oder andere Objekte betreffen. Das Tabu der Tiere, das wesentlich im Verbot des Tötens und Verzehrens besteht, bildet den Kern des Totemismus. Das Tabu der zweiten Art, das den Menschen zu seinem Objekt hat, ist wesentlich anderen Charakters. Es ist von vorneherein auf Bedingungen eingeschränkt, die für den Tabuierten eine ungewöhnliche Lebenslage herbeiführen. So sind Jünglinge tabu beim Fest der Männerweihe, Frauen während der Menstruation und unmittelbar nach der Geburt, neugeborene Kinder, Kranke und vor allem die Toten. Auf dem fortwährend gebrauchten Eigentum eines Menschen ruht ein dauerndes Tabu für jeden anderen: so auf seinen Kleidern, Werkzeugen und Waffen. Zum persönlichsten Eigentum gehört in Australien auch der neue Name, den ein Knabe bei seiner Männerweihe erhält, dieser ist tabu und muß geheim gehalten werden. Die Tabu der dritten Art, die auf Bäumen, Pflanzen, Häusern, Örtlichkeiten ruhen, sind veränderlicher, scheinen nur der Regel zu folgen, daß dem Tabu unterworfen wird, was aus irgend welcher Ursache Scheu erregt oder unheimlich ist.

Die Veränderungen, die das Tabu in der reicheren Kultur der Polynesier und der malaiischen Inselwelt erfährt, muß Wundt selbst für nicht sehr tiefgehend erklären. Die stärkere soziale Differenzierung dieser Völker macht sich darin geltend, daß Häuptlinge, Könige und Priester ein besonders wirksames Tabu ausüben und selbst dem stärksten Zwang des Tabu ausgesetzt werden.

Die eigentlichen Quellen des Tabu liegen aber tiefer als in den Interessen der privilegierten Stände; »sie entspringen da, wo die primitivsten und zugleich dauerndsten menschlichen Triebe ihren Ursprung nehmen,in der Furcht vor der Wirkung dämonischerMächte«. »Ursprünglich nichts anderes als die objektiv gewordene Furcht vor der in dem tabuierten Gegenstand verborgen gedachten dämonischen Macht, verbietet das Tabu, diese Macht zu reizen, und es gebietet, wo es wissentlich oder unwissentlich verletzt worden ist, die Rache des Dämons zu beseitigen«.

Allmählich wird dann das Tabu zu einer in sich selbst begründeten Macht, die sich vom Dämonismus losgelöst hat. Es wird zum Zwang der Sitte und des Herkommens und schließlich des Gesetzes. »Das Gebot aber, das unausgesprochen hinter den nach Ort und Zeit mannigfach wechselnden Tabuverboten steht, ist ursprünglich das eine: Hüte dich vor dem Zorn der Dämonen.«

Wundt lehrt uns also, das Tabu sei ein Ausdruck und Ausfluß des Glaubens der primitiven Völker an dämonische Mächte. Später habe sich das Tabu von dieser Wurzel losgelöst und sei eine Macht geblieben, einfach weil es eine solche war, infolge einer Art von psychischer Beharrung; so sei es selbst die Wurzel unserer Sittengebote und unserer Gesetze geworden. So wenig nun der erste dieser Sätze zum Widerspruch reizen kann, so glaube ich doch dem Eindruck vieler Leser Worte zu leihen, wenn ich die Aufklärung Wundts als eine Enttäuschung anspreche. Das heißt wohl nicht, zu den Quellen der

Tabuvorstellungen heruntergehen oder ihre letzten Wurzeln aufzeigen. Weder die Angst noch die Dämonen können in der Psychologie als letzte Dinge gewertet werden, die jeder weiteren Zurückführung trotzen. Es wäre anders, wenn die Dämonen wirklich existierten; aber wir wissen ja, sie sind selbst wie die Götter Schöpfungen der Seelenkräfte des Menschen; sie sind von etwas und aus etwas geschaffen worden.

Über die Doppelbedeutung des Tabu äußert Wundt bedeutsame, aber nicht ganz klar zu erfassende Ansichten. Für die primitiven Anfänge des Tabu besteht nach ihm eine Scheidung von heilig und unrein noch nicht. Eben darum fehlen hier jene Begriffe überhaupt in der Bedeutung, die sie eben erst durch den Gegensatz, in den sie zueinander traten, annehmen konnten. Das Tier, der Mensch, der Ort, auf dem ein Tabu ruht, sind dämonisch, nicht heilig und darum auch noch nicht in dem späteren Sinne unrein. Gerade für diese noch indifferent in der Mitte stehende Bedeutung des Dämonischen, das nicht berührt werden darf, ist der Ausdruck Tabu wohl geeignet, da er ein Merkmal hervorhebt, das schließlich dem Heiligen wie dem Unreinen für alle Zeiten gemeinsam bleibt: die Scheu vor seiner Berührung. In dieser bleibenden Gemeinschaft eines wichtigen Merkmals liegt aber zugleich ein Hinweis darauf, daß hier zwischen beiden Gebieten eine ursprüngliche Übereinstimmung obwaltet, die erst infolge weiterer Bedingungen einer Differenzierung gewichen ist, durch welche sich beide schließlich zu Gegensätzen entwickelt haben.

Der dem ursprünglichen Tabu eigene Glaube an eine dämonische Macht, die in dem Gegenstand verborgen ist und dessen Berührung oder unerlaubte Verwendung durch Verzauberung des Täters rächt, ist eben noch ganz und ausschließlich die objektivierte Furcht. Diese hat sich noch nicht in die beiden Formen gesondert, die sie auf einer entwickelten Stufe annimmt: in die Ehrfurcht und in den Abscheu.

Wie aber entsteht diese Sonderung? Nach Wundt durch die Verpflanzung der Tabugebote aus dem Gebiet der Dämonen – in das der Göttervorstellungen. Der Gegensatz von heilig und unrein fällt mit der Aufeinanderfolge zweier mythologischer Stufen zusammen, von denen die frühere nicht vollkommen verschwindet, wenn die folgende erreicht ist, sondern in der Form einer niedrigeren und allmählich mit Verachtung sich paarenden Wertschätzung fortbesteht. In der Mythologie gilt allgemein das Gesetz, daß eine vorangegangene Stufe eben deshalb, weil sie von der höheren überwunden und zurückgedrängt wird, nun neben dieser in erniedrigter Form fortbesteht, so daß die Objekte ihrer Verehrung in solche des Abscheus sich umwandeln.

Die weiteren Ausführungen Wundts beziehen sich auf das Verhältnis der Tabuvorstellungen zur Reinigung und zum Opfer.

## 2

Wer von der Psychoanalyse, d. h. von der Erforschung des unbewußten Anteils am individuellen Seelenleben her an das Problem des Tabu herantritt, der wird sich nach kurzem Besinnen sagen, daß ihm diese Phänomene nicht fremd sind. Er kennt Personen, die sich solche Tabuverbote individuell geschaffen haben und sie ebenso strenge befolgen, wie die Wilden die ihrem Stamm oder ihrer Gesellschaft gemeinsamen. Wenn er nicht gewohnt wäre, diese vereinzelten Personen als »Zwangskranke« zu bezeichnen, würde er den Namen »Tabukrankheit« für deren Zustand angemessen finden müssen. Von dieser Zwangskrankheit hat er aber durch die psychoanalytische Untersuchung soviel erfahren: die klinische Aetiologie und das Wesentliche des psychologischen Mechanismus, daß er es sich nicht versagen kann, das hier Gelernte zur Aufklärung der entsprechenden völkerpsychologischen Erscheinung zu verwenden.

Eine Warnung wird bei diesem Versuche angehört werden müssen. Die Ähnlichkeit des Tabu mit der Zwangskrankheit mag eine rein äußerliche sein, für die Erscheinungsform der Beiden gelten und sich nicht weiter auf deren Wesen erstrecken. Die Natur liebt es, die nämlichen Formen in den verschiedensten biologischen Zusammenhängen zu verwenden, z. B. am Korallenstock wie an der Pflanze, ja darüber hinaus an gewissen Kristallen oder bei der Bildung bestimmter chemischer Niederschläge. Es wäre offenbar voreilig und wenig aussichtsvoll, durch diese Übereinstimmungen, die auf eine Gemeinsamkeit mechanischer Bedingungen zurückgehen, Schlüsse zu begründen, die sich auf innere Verwandtschaft beziehen. Wir werden dieser Warnung eingedenk bleiben, brauchen aber die beabsichtigte Vergleichung dieser Möglichkeit wegen nicht zu unterlassen.

Die nächste und auffälligste Übereinstimmung der Zwangsverbote (bei den Nervösen) mit dem Tabu besteht nun darin, daß diese Verbote ebenso unmotiviert und in ihrer Herkunft rätselhaft sind. Sie sind irgend einmal aufgetreten und müssen nun infolge einer unbezwingbaren Angst gehalten werden. Eine äußere Strafandrohung ist überflüssig, weil eine innere Sicherheit (ein Gewissen) besteht, die Übertretung werde zu einem unerträglichen Unheil führen. Das Äußerste, was die Zwangskranken mitteilen können, ist die unbestimmte Ahnung, es werde eine bestimmte Person ihrer Umgebung durch die Übertretung zu Schaden kommen. Welches diese Schädigung sein soll, wird nicht erkannt, auch erhält man diese kümmerliche Auskunft eher bei den später zu besprechenden Sühne- und

Abwehrhandlungen als bei den Verboten selbst.

Das Haupt- und Kernverbot der Neurose ist wie beim Tabu das der Berührung, daher der Name Berührungsangst, Délire de toucher. Das Verbot erstreckt sich nicht nur auf die direkte Berührung mit dem Körper, sondern nimmt den Umfang der übertragenen Redensart: in Berührung kommen, an. Alles, was die Gedanken auf das Verbotene lenkt, eine Gedankenberührung hervorruft, ist ebenso verboten wie der unmittelbare leibliche Kontakt; dieselbe Ausdehnung findet sich beim Tabu wieder.

Ein Teil der Verbote ist nach seiner Absicht ohneweiters verständlich, ein anderer Teil dagegen erscheint uns unbegreiflich, läppisch, sinnlos. Wir bezeichnen solche Gebote als »Zeremoniell«, und finden, daß die Tabugebräuche dieselbe Verschiedenheit erkennen lassen.

Den Zwangsverboten ist eine großartige Verschiebbarkeit zu eigen, sie dehnen sich auf irgend welchen Wegen des Zusammenhanges von einem Objekt auf das andere aus und machen auch dieses neue Objekt, wie eine meiner Kranken treffend sagt, »unmöglich«. Die Unmöglichkeit hat am Ende die ganze Welt mit Beschlag belegt. Die Zwangskranken benehmen sich so, als wären die »unmöglichen« Personen und Dinge Träger einer gefährlichen Ansteckung, die bereit ist, sich auf alles Benachbarte durch Kontakt zu übertragen. Dieselben Charaktere der Ansteckungsfähigkeit und der Übertragbarkeit haben wir eingangs bei der Schilderung der Tabuverbote hervorgehoben. Wir wissen auch, wer ein Tabu übertreten hat durch die Berührung von etwas, was tabu ist, der wird selbst tabu und niemand darf mit ihm in Berührung treten.

Ich stelle zwei Beispiele von Übertragung (besser Verschiebung) des Verbotes zusammen; das eine aus dem Leben der Maori, das andere aus meiner Beobachtung an einer zwangskranken Frau.

»Ein Maorihäuptling wird kein Feuer mit seinem Hauch anfachen, denn sein geheiligter Atem würde seine Kraft dem Feuer mitteilen, dieses dem Topf, der im Feuer steht, der Topf der Speise, die in ihm gekocht wird, die Speise der Person, die von ihr ißt, und so müßte die Person sterben, die gegessen von der Speise, die gekocht in dem Topf, der gestanden im Feuer, in das geblasen der Häuptling mit seinem heiligen und gefährlichen Hauch.«

Die Patientin verlangt, daß ein Gebrauchsgegenstand, den ihr Mann vom Einkauf nach Hause gebracht, entfernt werde, er würde ihr sonst den Raum, in dem sie wohnt, unmöglich machen. Denn sie hat gehört, daß dieser Gegenstand in einem Laden gekauft wurde, welcher in der, sagen wir: Hirschengasse liegt. Aber Hirsch ist heute der Name einer Freundin, die in einer fernen Stadt lebt, die sie in ihrer Jugend unter ihrem Mädchennamen gekannt hat. Diese Freundin ist ihr heute »unmöglich«, tabu und der hier in Wien gekaufte Gegenstand ist ebenso tabu wie die Freundin selbst, mit der sie nicht in Berührung kommen will.

Die Zwangsverbote bringen großartigen Verzicht und Einschränkungen des Lebens mit sich wie die Tabuverbote, aber ein Anteil von ihnen kann aufgehoben werden durch die Ausführung gewisser Handlungen, die nun auch geschehen müssen, die Zwangscharakter haben, – Zwangshandlungen – und deren Natur als Buße, Sühne, Abwehrmaßregeln und Reinigung keinem Zweifel unterliegt. Die gebräuchlichste dieser Zwangshandlungen ist das Abwaschen mit Wasser (Waschzwang). Auch ein Teil der Tabuverbote kann so ersetzt, respektive deren Übertretung durch solches »Zeremoniell« gutgemacht werden und die Lustration durch Wasser ist auch hier die bevorzugte.

Resümieren wir nun, in welchen Punkten sich die Übereinstimmung der Tabugebräuche mit den Symptomen der Zwangsneurose am deutlichsten äußert: 1. In der Unmotiviertheit der Gebote, 2. in ihrer Befestigung durch eine innere Nötigung, 3. in ihrer Verschiebbarkeit und in der Ansteckungsgefahr durch das Verbotene, 4. in der Verursachung von zeremoniösen Handlungen, Geboten, die von den Verboten ausgehen.

Die klinische Geschichte wie der psychische Mechanismus der Fälle von Zwangskrankheit sind uns aber durch die Psychoanalyse bekannt geworden. Erstere lautet für einen typischen Fall von Berührungsangst wie folgt: Zu allem Anfang, in ganz früher Kinderzeit, äußerte sich eine starke Berührungs*lust*, deren Ziel weit spezialisierter war, als man geneigt wäre zu erwarten. Dieser Lust trat alsbald *von außen* ein Verbot entgegen, gerade diese Berührung nicht auszuführen. Das Verbot wurde aufgenommen, denn es konnte sich auf starke innere Kräfte stützen; es erwies sich als stärker als der Trieb, der sich in der Berührung äußern wollte. Aber infolge der primitiven psychischen Konstitution des Kindes gelang es dem Verbot nicht, den Trieb aufzuheben. Der Erfolg des Verbots war nur, den Trieb – die Berührungslust – zu verdrängen und ihn ins Unbewußte zu verbannen. Verbot und Trieb blieben beide erhalten; der Trieb, weil er nur verdrängt, nicht aufgehoben war, das Verbot, weil mit seinem Aufhören der Trieb zum Bewußtsein und zur Ausführung durchgedrungen wäre. Es war eine unerledigte Situation, eine psychische Fixierung geschaffen, und aus dem fortdauernden Konflikt von Verbot und Trieb leitet sich nun alles weitere ab.

Der Hauptcharakter der psychologischen Konstellation, die so fixiert worden ist, liegt in dem, was man das *ambivalente* Verhalten des Individuums gegen das eine Objekt, vielmehr die eine Handlung an ihm, heißen könnte. Es will diese Handlung – die Berührung – immer wieder ausführen, es sieht in ihr den höchsten Genuß, aber es darf sie nicht ausführen, es verabscheut sie auch.

Der Gegensatz der beiden Strömungen ist auf kurzem Wege nicht ausgleichbar, weil sie – wir können nur sagen – im Seelenleben so lokalisiert sind, daß sie nicht zusammenstoßen können. Das Verbot wird laut bewußt, die fortdauernde Berührungslust ist unbewußt, die Person weiß nichts von ihr. Bestünde dieses psychologische Moment nicht, so könnte eine Ambivalenz weder sich so lange erhalten, noch könnte sie zu solchen Folgeerscheinungen führen.

In der klinischen Geschichte des Falles haben wir das Eindringen des Verbotes in so frühem Kindesalter als das maßgebende hervorgehoben; für die weitere Gestaltung fällt diese Rolle dem Mechanismus der Verdrängung auf dieser Altersstufe zu. Infolge der stattgehabten Verdrängung, die mit einem Vergessen – Amnesie – verbunden ist, bleibt die Motivierung des bewußt gewordenen Verbotes unbekannt, und müssen alle Versuche scheitern, es intellektuell zu zersetzen, da diese den Punkt nicht finden, an dem sie angreifen könnten. Das Verbot verdankt seine Stärke – seinen Zwangscharakter – gerade der Beziehung zu seinem unbewußten Gegenpart, der im Verborgenen ungedämpften Lust, also einer innern Notwendigkeit, in welche die bewußte Einsicht fehlt. Die Übertragbarkeit und Fortpflanzungsfähigkeit des Verbots spiegelt einen Vorgang wieder, der sich mit der unbewußten Lust zuträgt, und unter den psychologischen Bedingungen des Unbewußten besonders erleichtert ist. Die Trieblust verschiebt sich beständig, um der Absperrung, in der sie sich befindet, zu entgehen, und sucht Surrogate für das Verbotene – Ersatzobjekte und Ersatzhandlungen – zu gewinnen. Darum wandert auch das Verbot und dehnt sich auf die neuen Ziele der verpönten Regung aus. Jeden neuen Vorstoß der verdrängten Libido beantwortet das Verbot mit einer neuen Verschärfung. Die gegenseitige Hemmung der beiden ringenden Mächte erzeugt ein Bedürfnis nach Abfuhr, nach Verringerung der herrschenden Spannung, in welchem man die Motivierung der Zwangshandlungen erkennen darf. Diese sind bei der Neurose deutlich Kompromißaktionen, in der einen Ansicht Bezeugungen von Reue, Bemühungen zur Sühne und dergleichen, in der anderen aber gleichzeitig Ersatzhandlungen, welche den Trieb für das Verbotene entschädigen. Es ist ein Gesetz der neurotischen Erkrankung, daß diese Zwangshandlungen immer mehr in den Dienst des Triebes treten und immer näher an die ursprünglich verbotene Handlung herankommen.

Unternehmen wir jetzt den Versuch, das Tabu zu behandeln, als wäre es von derselben Natur wie ein Zwangsverbot unserer Kranken. Wir machen uns dabei von vorneherein klar, daß viele der für uns zu beobachtenden Tabuverbote sekundärer, verschobener und entstellter Art sind, und daß wir zufrieden sein müssen, etwas Licht auf die ursprünglichsten und bedeutsamsten Tabuverbote zu werfen. Ferner, daß die Verschiedenheiten in der Situation des Wilden und des Neurotikers wichtig genug sein dürften, um eine völlige Übereinstimmung auszuschließen, eine Übertragung von dem einen auf den anderen, die einer Abbildung in jedem Punkte gleichkäme, zu verhindern.

Wir würden dann zunächst sagen, es habe keinen Sinn, die Wilden nach der wirklichen Motivierung ihrer Verbote, nach der Genese des Tabu zu fragen. Nach unserer Voraussetzung müssen sie unfähig sein darüber etwas mitzuteilen, denn diese Motivierung sei ihnen »unbewußt«. Wir konstruieren die Geschichte des Tabu aber folgendermaßen nach dem Vorbild der Zwangsverbote. Die Tabu seien uralte Verbote, einer Generation von primitiven Menschen dereinst von außen aufgedrängt, d. h. also doch wohl von der früheren Generation ihr gewalttätig eingeschärft. Diese Verbote haben Tätigkeiten betroffen, zu denen eine starke Neigung bestand. Die Verbote haben sich nun von Generation zu Generation erhalten, vielleicht bloß infolge der Tradition durch elterliche und gesellschaftliche Autorität. Vielleicht aber haben sie sich in den späteren Generationen bereits »organisiert« als ein Stück ererbten psychischen Besitzes. Ob es solche »angeborene Ideen« gibt, ob sie allein oder im Zusammenwirken mit der Erziehung die Fixierung der Tabu bewirkt haben, wer vermöchte es gerade für den in Rede stehenden Fall zu entscheiden? Aber aus der Festhaltung der Tabu ginge eines hervor, daß die ursprüngliche Lust, jenes Verbotene zu tun, auch noch bei den Tabuvölkern fortbesteht. Diese haben also zu ihren Tabuverboten eine ambivalente Einstellung; sie möchten im Unbewußten nichts lieber als sie übertreten, aber sie fürchten sich auch davor; sie fürchten sich gerade darum, weil sie es möchten, und die Furcht ist stärker als die Lust. Die Lust dazu ist aber bei jeder Einzelperson des Volkes unbewußt, wie bei dem Neurotiker.

Die ältesten und wichtigsten Tabuverbote sind die beiden Grundgesetze des Totemismus: Das Totemtier nicht zu töten und den sexuellen Verkehr mit den Totemgenossen des anderen Geschlechts zu vermeiden.

Das müßten also die ältesten und stärksten Gelüste der Menschen sein. Wir können das nicht verstehen und können demnach unsere Voraussetzung nicht an diesen Beispielen prüfen, solange uns Sinn und Abkunft des totemistischen Systems so völlig unbekannt sind. Aber wer die Ergebnisse der psychoanalytischen Erforschung des Einzelmenschen kennt, der wird selbst durch den Wortlaut dieser beiden Tabu und durch ihr Zusammentreffen an etwas ganz Bestimmtes gemahnt, was die Psychoanalytiker für den Knotenpunkt des infantilen Wunschlebens und dann für den Kern der Neurose erklären.

Die sonstige Mannigfaltigkeit der Tabuerscheinungen, die zu den früher mitgeteilten Klassifizierungsversuchen geführt hat, wächst für uns auf folgende Art zu einer Einheit zusammen: Grundlage des Tabu ist ein verbotenes Tun, zu dem eine starke Neigung im Unbewußten besteht.

Wir wissen, ohne es zu verstehen, wer das Verbotene tut, das Tabu übertritt, wird selbst tabu. Wie bringen wir aber diese Tatsache mit der anderen zusammen, daß das Tabu nicht nur an Personen haftet, die das Verbotene getan haben, sondern auch an Personen, die sich in besonderen Zuständen befinden, an diesen Zuständen selbst und an unpersönlichen Dingen? Was kann das für eine gefährliche Eigenschaft sein, die immer die nämliche bleibt unter all diesen verschiedenen Bedingungen? Nur die eine: die Eignung, die Ambivalenz des Menschen anzufachen und ihn in *Versuchung* zu führen, das Verbot zu übertreten.

Der Mensch, der ein Tabu übertreten hat, wird selbst tabu, weil er die gefährliche Eignung hat, andere zu versuchen, daß sie seinem Beispiel folgen. Er erweckt Neid; warum sollte ihm gestattet sein, was anderen verboten ist? Er ist also wirklich *ansteckend*, insoferne jedes Beispiel zur Nachahmung ansteckt, und darum muß er selbst gemieden werden.

Ein Mensch braucht aber kein Tabu übertreten zu haben und kann doch permanent oder zeitweilig tabu sein, weil er sich in einem Zustand befindet, welcher die Eignung hat, die verbotenen Gelüste der anderen anzuregen, den Ambivalenzkonflikt in ihnen zu wecken. Die meisten Ausnahmsstellungen und Ausnahmszustände sind von solcher Art und haben diese gefährliche Kraft. Der König oder Häuptling erweckt den Neid auf seine Vorrechte; es möchte vielleicht jeder König sein. Der Tote, das Neugeborene, die Frau in ihren Leidenszuständen reizen durch ihre besondere Hilflosigkeit, das eben geschlechtsreif gewordene Individuum durch den neuen Genuß, den es verspricht. Darum sind alle diese Personen und alle diese Zustände tabu, denn der Versuchung darf nicht nachgegeben werden.

Wir verstehen jetzt auch, warum die Manakräfte verschiedener Personen sich von einander abziehen, einander teilweise aufheben können. Das Tabu eines Königs ist zu stark für seinen Untertan, weil die soziale Differenz zwischen ihnen zu groß ist. Aber ein Minister kann etwa den unschädlichen Vermittler zwischen ihnen machen. Das heißt aus der Sprache des Tabu in die der Normalpsychologie übersetzt: Der Untertan, der die großartige Versuchung scheut, welche ihm die Berührung mit dem König bereitet, kann etwa den Umgang des Beamten vertragen, den er nicht so sehr zu beneiden braucht, und dessen Stellung ihm vielleicht selbst erreichbar scheint. Der Minister aber kann seinen Neid gegen den König durch die Erwägung der Macht ermäßigen, die ihm selbst eingeräumt ist. So sind geringere Differenzen der in Versuchung führenden Zauberkraft weniger zu fürchten als besonders große.

Es ist ebenso klar, wieso die Übertretung gewisser Tabuverbote eine soziale

Gefahr bedeutet, die von allen Mitgliedern der Gesellschaft gestraft oder gesühnt werden muß, wenn sie nicht alle schädigen soll. Diese Gefahr besteht wirklich, wenn wir die bewußten Regungen für die unbewußten Gelüste einsetzen. Sie besteht in der Möglichkeit der Nachahmung, in deren Folge die Gesellschaft bald zur Auflösung käme. Wenn die anderen die Übertretung nicht ahnden würden, müßten sie ja inne werden, daß sie dasselbe tun wollen wie der Übeltäter.

Daß die Berührung beim Tabuverbot eine ähnliche Rolle spielt wie beim Délire de toucher, obwohl der geheime Sinn des Verbotes beim Tabu unmöglich ein so spezieller sein kann wie bei der Neurose, darf uns nicht Wunder nehmen. Die Berührung ist der Beginn jeder Bemächtigung, jedes Versuches, sich eine Person oder Sache dienstbar zu machen.

Wir haben die ansteckende Kraft, die dem Tabu innewohnt, durch die Eignung, in Versuchung zu führen, zur Nachahmung anzuregen, übersetzt. Dazu scheint es nicht zu stimmen, daß sich die Ansteckungsfähigkeit des Tabu vor allem in der Übertragung auf Gegenstände äußert, die dadurch selbst Träger des Tabu werden.

Diese Übertragbarkeit des Tabu spiegelt die bei der Neurose nachgewiesene Neigung des unbewußten Triebes wieder, sich auf assoziativen Wegen auf immer neue Objekte zu verschieben. Wir werden so aufmerksam gemacht, daß der gefährlichen Zauberkraft des »Mana« zweierlei realere Fähigkeiten entsprechen, die Eignung, den Menschen an seine verbotenen Wünsche zu erinnern, und die scheinbar bedeutsamere, ihn zur Übertretung des Verbotes im Dienste dieser Wünsche zu verleiten. Beide Leistungen treten aber wieder zu einer einzigen zusammen, wenn wir annehmen, es läge im Sinne eines primitiven Seelenlebens, daß mit der Erweckung der Erinnerung an das verbotene Tun auch die Erweckung der Tendenz, es durchzusetzen, verknüpft sei. Dann fallen Erinnerung und Versuchung wieder zusammen. Man muß auch zugestehen, wenn das Beispiel eines Menschen, der ein Verbot übertreten hat, einen anderen zur gleichen Tat verführt, so hat sich der Ungehorsam gegen das Verbot fortgepflanzt wie eine Ansteckung, wie sich das Tabu von einer Person auf einen Gegenstand, und von diesem auf einen anderen überträgt.

Wenn die Übertretung eines Tabu gutgemacht werden kann durch eine Sühne oder Buße, die ja einenV e r z i c h t auf irgend ein Gut oder eine Freiheit bedeuten, so ist hiedurch der Beweis erbracht, daß die Befolgung der Tabuvorschrift selbst ein Verzicht war auf etwas, was man gerne gewünscht hätte. Die Unterlassung des einen Verzichts wird durch einen Verzicht an anderer Stelle abgelöst. Für das Tabuzeremoniell würden wir hieraus den Schluß ziehen, daß die Buße etwas ursprünglicheres ist als die Reinigung.

Fassen wir nun zusammen, welches Verständnis des Tabu sich uns aus der Gleichstellung mit dem Zwangsverbot des Neurotikers ergeben hat: Das Tabu ist ein uraltes Verbot, von außen (von einer Autorität) aufgedrängt und gegen die stärksten Gelüste der Menschen gerichtet. Die Lust, es zu übertreten, besteht in deren Unbewußten fort; die Menschen, die dem Tabu gehorchen, haben eine ambivalente Einstellung gegen das vom Tabu Betroffene. Die dem Tabu zugeschriebene Zauberkraft führt sich auf die Fähigkeit zurück, die Menschen in Versuchung zu führen; sie benimmt sich wie eine Ansteckung, weil das Beispiel ansteckend ist, und weil sich das verbotene Gelüste im Unbewußten auf anderes verschiebt. Die Sühne der Übertretung des Tabu durch einen Verzicht erweist, daß der Befolgung des Tabu ein Verzicht zu grunde liegt.

### 3

Wir wollen nun wissen, welchen Wert unsere Gleichstellung des Tabu mit der Zwangsneurose und die auf Grund dieser Vergleichung gegebene Auffassung des Tabu beanspruchen kann. Ein solcher Wert liegt offenbar nur vor, wenn unsere Auffassung einen Vorteil bietet, der sonst nicht zu haben ist, wenn sie ein besseres Verständnis des Tabu gestattet, als uns sonst möglich wird. Wir sind vielleicht geneigt zu behaupten, daß wir diesen Nachweis der Brauchbarkeit im Vorstehenden bereits erbracht haben; wir werden aber versuchen müssen, ihn zu verstärken, indem wir die Erklärung der Tabuverbote und Gebräuche ins Einzelne fortsetzen.

Es steht uns aber auch ein anderer Weg offen. Wir können die Untersuchung anstellen, ob nicht ein Teil der Voraussetzungen, die wir von der Neurose her auf das Tabu übertragen haben, oder der Folgerungen, zu denen wir dabei gelangt sind, an den Phänomenen des Tabu unmittelbar erweisbar ist. Wir müssen uns nur entscheiden, wonach wir suchen wollen. Die Behauptung über die Genese des Tabu, es stamme von einem uralten Verbote ab, welches dereinst von außen auferlegt worden ist, entzieht sich natürlich dem Beweise. Wir werden also eher die psychologischen Bedingungen fürs Tabu zu bestätigen suchen, welche wir für die Zwangsneurose kennen gelernt haben. Wie gelangten wir bei der Neurose zur Kenntnis dieser psychologischen Momente? Durch das analytische Studium der Symptome, vor allem der Zwangshandlungen, der Abwehrmaßregeln und Zwangsgebote. Wir fanden an ihnen die besten Anzeichen für ihre Abstammung von ambivalenten Regungen oder Tendenzen, wobei sie entweder gleichzeitig dem Wunsch wie dem Gegenwunsch entsprechen oder vorwiegend im Dienste der einen von den beiden entgegengesetzten Tendenzen stehen. Wenn es uns nun gelänge, auch an den Tabuvorschriften die Ambivalenz, das Walten entgegengesetzter Tendenzen aufzuzeigen, oder unter ihnen einige aufzufinden, die nach der Art von Zwangshandlungen beiden Strömungen gleichzeitigen Ausdruck geben, so wäre die psychologische Übereinstimmung zwischen dem Tabu und der Zwangsneurose im nahezu wichtigsten Stück gesichert.

Die beiden fundamentalen Tabuverbote sind, wie vorhin erwähnt, für unsere Analyse durch die Zugehörigkeit zum Totemismus unzugänglich; ein anderer Anteil der Tabusatzungen ist sekundärer Abkunft und für unsere Absicht nicht verwertbar. Das Tabu ist nämlich bei den entsprechenden Völkern die allgemeine Form der Gesetzgebung geworden und in den Dienst von sozialen Tendenzen getreten, die sicherlich jünger sind als das Tabu selbst, wie z. B. die Tabu, die von Häuptlingen und Priestern auferlegt werden, um sich Eigentum und Vorrechte zu sichern. Doch bleibt uns eine große Gruppe von Vorschriften übrig, an denen unsere Untersuchung vorgenommen werden kann; ich hebe aus dieser die Tabu heraus, die sich a. an Feinde, b. an Häuptlinge, c. an Tote knüpfen, und werde das zu behandelnde Material der ausgezeichneten Sammlung von J. G. Frazer in seinem großen Werke: »The golden bough« entnehmen.

*a/ Die Behandlung der Feinde.*

Wenn wir geneigt waren, den wilden und halbwilden Völkern ungehemmte und reuelose Grausamkeit gegen ihre Feinde zuzuschreiben, so werden wir mit großem Interesse erfahren, daß auch bei ihnen die Tötung eines Menschen zur Befolgung einer Reihe von Vorschriften zwingt, welche den Tabugebräuchen zugeordnet werden. Diese Vorschriften sind mit Leichtigkeit in vier Gruppen zu bringen; sie fordern 1. Versöhnung des getöteten Feindes, 2. Beschränkungen und 3. Sühnehandlungen, Reinigungen des Mörders und 4. gewisse zeremonielle Vornahmen. Wie allgemein oder wie vereinzelt solche Tabugebräuche bei diesen Völkern sein mögen, läßt sich einerseits aus unseren unvollständigen Nachrichten nicht mit Sicherheit entscheiden, und ist anderseits für unser Interesse an diesen Vorkommnissen gleichgiltig. Immerhin darf man annehmen, daß es sich um weitverbreitete Gebräuche und nicht um vereinzelte Sonderbarkeiten handelt.

Die Versöhnungsgebräuche auf der Insel Timor, nachdem eine siegreiche Kriegerschar mit den abgeschnittenen Köpfen der besiegten Feinde zurückkehrt, sind darum besonders bedeutsam, weil überdies der Führer der Expedition von schweren Beschränkungen betroffen wird (s. u.). »Bei dem feierlichen Einzug der Sieger werden Opfer dargebracht, um die Seelen der Feinde zu versöhnen; sonst müßte man Unheil für die Sieger vorhersehen. Es wird ein Tanz aufgeführt, und dabei ein Gesang vorgetragen, in welchem der erschlagene Feind beklagt und seine Verzeihung erbeten wird: »Zürne uns nicht, weil wir deinen Kopf hier bei uns haben; wäre uns das Glück nicht hold gewesen, so hingen jetzt vielleicht unsere Köpfe in deinem Dorf. Wir haben dir ein Opfer gebracht, um dich zu besänftigen. Nun darf dein Geist zufrieden sein und uns in Ruhe lassen. Warum bist du unser Feind gewesen? Wären wir nicht besser Freunde geblieben? Dann wäre dein Blut nicht vergossen und dein Kopf nicht abgeschnitten worden.«

Ähnliches findet sich bei den Palu in Celebes; die Gallas opfern den Geistern ihrer erschlagenen Feinde, ehe sie ihr Heimatsdorf betreten. (Nach Paulitschke, Ethnographie Nordost-Afrikas.)

Andere Völker haben das Mittel gefunden, um aus ihren früheren Feinden nach deren Tod Freunde, Wächter und Beschützer zu machen. Es besteht in der zärtlichen Behandlung der abgeschnittenen Köpfe, wie manche wilde Stämme Borneos sich deren rühmen. Wenn die See-Dayaks von Sarawak von einem Kriegszug einen Kopf nach Hause bringen, so wird dieser Monate hindurch mit der ausgesuchtesten Liebenswürdigkeit behandelt und mit den zärtlichsten Namen angesprochen, über die ihre Sprache verfügt. Die besten Bissen von ihren Mahlzeiten werden ihm in den Mund gesteckt, Leckerbissen und Zigarren. Er wird wiederholt gebeten, seine früheren Freunde zu hassen und seinen neuen Wirten seine Liebe zu schenken, da er jetzt einer der ihrigen ist. Man würde sehr irre gehen, wenn man an dieser uns gräßlich erscheinenden Behandlung dem Hohn einen Anteil zuschriebe.

Bei mehreren der wilden Stämme Nordamerikas ist die Trauer um den erschlagenen und skalpierten Feind den Beobachtern aufgefallen. Wenn ein Choctaw einen Feind getötet hatte, so begann für ihn eine monatlange Trauer, während welcher er sich schweren Einschränkungen unterwarf. Ebenso trauerten die Dacota-Indianer. Wenn die Osagen, bemerkt ein Gewährsmann, ihre eigenen Toten betrauert hatten, so trauerten sie dann um den Feind, als ob er ein Freund gewesen wäre.

Noch ehe wir auf die anderen Klassen von Tabugebräuchen zur Behandlung der Feinde eingehen, müssen wir gegen eine naheliegende Einwendung Stellung nehmen. Die Motivierung dieser Versöhnungsvorschriften, wird man uns mit Frazer und anderen entgegenhalten, ist einfach genug und hat nichts mit einer »Ambivalenz« zu tun. Diese Völker werden von abergläubischer Furcht vor den Geistern der Erschlagenen beherrscht, einer Furcht, die auch dem klassischen Altertum nicht fremd war, die der große britische Dramatiker in den Halluzinationen Macbeths und Richards III. auf die Bühne gebracht hat. Aus diesem Aberglauben leiten sich folgerichtig alle die

Versöhnungsvorschriften ab, wie auch die später zu besprechenden Beschränkungen und Sühnungen; für diese Auffassung sprechen noch die in der vierten Gruppe vereinigten Zeremonien, die keine andere Auslegung zulassen, als von Bemühungen, die den Mördern folgenden Geister der Erschlagenen zu verjagen. Zum Überfluß gestehen die Wilden ihre Angst vor den Geistern der getöteten Feinde direkt ein und führen die besprochenen Tabugebräuche selbst auf sie zurück.

Diese Einwendung ist in der Tat naheliegend, und wenn sie ebenso ausreichend wäre, könnten wir uns die Mühe unseres Erklärungsversuches gerne ersparen. Wir verschieben es auf später, uns mit ihr auseinanderzusetzen und stellen ihr zunächst nur die Auffassung entgegen, die sich aus den Voraussetzungen der vorigen Erörterungen über das Tabu ableitet. Wir schließen aus all diesen Vorschriften, daß im Benehmen gegen die Feinde noch andere als bloß feindselige Regungen zum Ausdruck kommen. Wir erblicken in ihnen Äußerungen der Reue, der Wertschätzung des Feindes, des bösen Gewissens, ihn ums Leben gebracht zu haben. Es will uns scheinen, als wäre auch in diesen Wilden das Gebot lebendig: Du sollst nicht töten, welches nicht ungestraft verletzt werden darf, lange vor jeder Gesetzgebung, die aus den Händen eines Gottes empfangen wird.

Kehren wir nun zu den anderen Klassen von Tabuvorschriften zurück. Die Beschränkungen des siegreichen Mörders sind ungemein häufig und meist von ernster Art. Auf Timor (vgl. die Versöhnungsgebräuche oben) darf der Führer der Expedition nicht ohne weiteres in sein Haus zurückkehren. Es wird für ihn eine besondere Hütte errichtet, in welcher er zwei Monate mit der Befolgung verschiedener Reinigungsvorschriften beschäftigt verbringt. In dieser Zeit darf er sein Weib nicht sehen, auch sich nicht selbst ernähren, eine andere Person muß ihm das Essen in den Mund schieben. – Bei einigen Dayakstämmen müssen die vom erfolgreichen Kriegszug Heimkehrenden einige Tage lang abgesondert bleiben und sich gewisser Speisen enthalten, sie dürfen auch kein Eisen berühren und bleiben ihren Frauen ferne. – In Logea, einer Insel nahe bei Neuguinea, schließen sich Männer, die Feinde getötet oder daran teilgenommen haben, für eine Woche in ihren Häusern ein. Sie vermeiden jeden Umgang mit ihren Frauen und ihren Freunden, rühren Nahrungsmittel nicht mit ihren Händen an und nähren sich nur von Pflanzenkost, die in besonderen Gefäßen für sie gekocht wird. Als Grund für diese letzte Beschränkung wird angegeben, daß sie das Blut des Erschlagenen nicht riechen dürfen; sie würden sonst erkranken und sterben. – Bei dem Toaripi- oder Motumotu-Stamm auf Neuguinea darf ein Mann, der einen anderen getötet hat, seinem Weib nicht nahe kommen und Nahrung nicht mit seinen Fingern berühren. Er wird von anderen Personen mit besonderer Nahrung gefüttert. Dies dauert bis zum nächsten Neumond.

Ich unterlasse es, die bei Frazer mitgeteilten Fälle von Beschränkungen des siegreichen Mörders vollzählig anzuführen, und hebe nur noch solche Beispiele hervor, in denen der Tabucharakter besonders auffällig ist, oder die Beschränkung im Verein mit Sühne, Reinigung und Zeremoniell auftritt.

Bei den Monumbos in Deutsch-Neuguinea wird jeder, der einen Feind im Kampfe getötet hat, »unrein«, wofür dasselbe Wort gebraucht wird, das auf Frauen während der Menstruation oder des Wochenbettes Anwendung findet. Er darf durch lange Zeit das Klubhaus der Männer nicht verlassen, während sich die Mitbewohner seines Dorfes um ihn versammeln und seinen Sieg mit Liedern und Tänzen feiern. Er darf niemand, nicht einmal seine eigene Frau und seine Kinder berühren; täte er es, so würden sie von Geschwüren befallen werden. Er wird dann rein durch Waschungen und anderes Zeremoniell.

Bei den Natchez in Nordamerika waren junge Krieger, die den ersten Skalp erbeutet hatten, durch sechs Monate zur Befolgung gewisser Entsagungen genötigt. Sie durften nicht bei ihren Frauen schlafen und kein Fleisch essen, erhielten nur Fisch und Maispudding zur Nahrung. Wenn ein Choctaw einen Feind getötet und skalpiert hatte, begann für ihn eine Trauerzeit von einem Monat, während welcher er sein Haar nicht kämmen durfte. Wenn es ihn am Kopf juckte, durfte er sich nicht mit der Hand kratzen, sondern bediente sich dazu eines kleinen Steckens.

Wenn ein Pima-Indianer einen Apachen getötet hatte, so mußte er sich schweren Reinigungs- und Sühnezeremonien unterwerfen. Während einer sechzehntägigen Fastenzeit durfte er Fleisch und Salz nicht berühren, auf kein brennendes Feuer schauen, zu keinem Menschen sprechen. Er lebte allein im Wald, von einer alten Frau bedient, die ihm spärliche Nahrung brachte, badete oft im nächsten Fluß und trug – als Zeichen der Trauer – einen Klumpen Lehm auf seinem Haupte. Am siebzehnten Tag fand dann die öffentliche Zeremonie der feierlichen Reinigung des Mannes und seiner Waffen statt. Da die Pima-Indianer das Tabu des Mörders viel ernster nahmen als ihre Feinde und die Sühne und Reinigung nicht wie diese bis nach der Beendigung des Feldzuges aufzuschieben pflegten, litt ihre Kriegstüchtigkeit sehr unter ihrer sittlichen Strenge oder Frömmigkeit, wenn man will. Trotz ihrer außerordentlichen Tapferkeit erwiesen sie sich den Amerikanern als unbefriedigende Bundesgenossen in ihren Kämpfen gegen dieApachen.

So interessant die Einzelheiten und Variationen der Sühne- und Reinigungszeremonien nach Tötung eines Feindes für eine tiefer eindringende Betrachtung auch sein mögen, so breche ich deren Mitteilung doch ab, weil sie uns keine neuen Gesichtspunkte eröffnen können. Vielleicht führe ich noch an, daß die zeitweilige oder permanente Isolierung des berufsmäßigen Henkers, die sich bis in unsere Neuzeit erhalten hat, in diesen Zusammenhang gehört.

Die Stellung des »Freimannes« in der mittelalterlichen Gesellschaft vermittelt in der Tat eine gute Vorstellung von dem »Tabu« der Wilden.

In der gangbaren Erklärung all dieser Versöhnungs-, Beschränkungs-, Sühne- und Reinigungsvorschriften werden zwei Prinzipien mit einander kombiniert. Die Fortsetzung des Tabu vom Toten her auf alles, was mit ihm in Berührung gekommen ist, und die Furcht vor dem Geist des Getöteten. Auf welche Weise diese beiden Momente miteinander zur Erklärung des Zeremoniells zu kombinieren sind, ob sie als gleichwertig aufgefaßt werden sollen, ob das eine das primäre, das andere sekundär ist, und welches, das wird nicht gesagt und ist in der Tat nicht leicht anzugeben. Demgegenüber betonen wir die Einheitlichkeit unserer Auffassung, wenn wir all diese Vorschriften aus der Ambivalenz der Gefühlsregungen gegen den Feind ableiten.

*b/ Das Tabu der Herrscher.*

Das Benehmen primitiver Völker gegen ihre Häuptlinge, Könige, Priester wird von zwei Grundsätzen regiert, die einander eher zu ergänzen als zu widersprechen scheinen. Man muß sich vor ihnen hüten und man muß sie behüten. Beides geschieht vermittelst einer Unzahl von Tabuvorschriften. Warum man sich vor den Herrschern hüten muß, ist uns bereits bekannt geworden; weil sie die Träger jener geheimnisvollen und gefährlichen Zauberkraft sind, die sich wie eine elektrische Ladung durch Berührung mitteilt und dem selbst nicht durch eine ähnliche Ladung Geschützten Tod und Verderben bringt. Man vermeidet also jede mittelbare oder unmittelbare Berührung mit der gefährlichen Heiligkeit und hat, wo solche nicht zu vermeiden ist, ein Zeremoniell gefunden, um die gefürchteten Folgen abzuwenden. DieN u b a s in Ostafrika glauben z. B., daß sie sterben müssen, wenn sie das Haus ihres Priesterkönigs betreten, daß sie aber dieser Gefahr entgehen, wenn sie beim Eintritt die linke Schulter entblößen und den König veranlassen, diese mit seiner Hand zu berühren. So trifft das Merkwürdige ein, daß die Berührung des Königs das Heil- und Schutzmittel gegen die Gefahren wird, welche aus der Berührung des Königs hervorgehen, aber es handelt sich dabei wohl um die Heilkraft der absichtlichen, vom König ausgehenden Berührung im Gegensatz zur Gefahr, daß man ihn berühre, um den Gegensatz der Passivität und der Aktivität gegen den König.

Wenn es sich um die Heilwirkung der königlichen Berührung handelt, brauchen wir die Beispiele nicht bei Wilden zu suchen. Die Könige von England haben in Zeiten, die noch nicht weit zurückliegen, diese Kraft an der Skrophulose geübt, die darum den Namen: »The King's Evil« trug. Königin Elisabeth entsagte diesem Stück ihrer königlichen Prärogative ebensowenig wie irgend ein anderer ihrer späteren Nachfolger. Charles I. soll im Jahre 1633 hundert Kranke auf einen Streich geheilt haben. Unter dessen zuchtlosem

Sohn Charles II. feierten nach der Überwindung der großen englischen Revolution die Königsheilungen bei Skropheln ihre höchste Blüte.

Dieser König soll im Laufe seiner Regierung bei hunderttausend Skrophulöse berührt haben. Das Gedränge der Heilungsuchenden pflegte bei diesen Gelegenheiten so groß zu sein, daß einmal sechs oder sieben von ihnen anstatt der Heilung den Tod durch Erdrücktwerden fanden. Der skeptische Oranier, Wilhelm III., der nach der Vertreibung der Stuarts König von England wurde, weigerte sich des Zaubers; das einzigemal, als er sich zu einer solchen Berührung herbeiließ, tat er es mit den Worten: »Gott gebe Euch eine bessere Gesundheit und mehr Verstand«.

Von der fürchterlichen Wirkung der Berührung, in welcher man, ob auch unabsichtlich, gegen den König, oder was zu ihm gehört, aktiv wird, mag folgender Bericht Zeugnis ablegen. Ein Häuptling von hohem Rang und großer Heiligkeit auf Neuseeland hatte einst die Reste seiner Mahlzeit am Wege stehen lassen. Da kam ein Sklave daher, ein junger, kräftiger, hungriger Gesell, sah das Zurückgelassene und machte sich darüber, um es aufzuessen. Kaum war er fertig worden, da teilte ihm ein entsetzter Zuschauer mit, daß es die Mahlzeit des Häuptlings gewesen sei, an welcher er sich vergangen habe. Er war ein starker mutiger Krieger gewesen, aber sobald er diese Auskunft vernommen hatte, stürzte er zusammen, wurde von gräßlichen Zuckungen befallen und starb gegen Sonnenuntergang des nächsten Tages. Eine Maorifrau hatte gewisse Früchte gegessen und dann erfahren, daß diese von einem mit Tabu belegten Ort herrührten. Sie schrie auf, der Geist des Häuptlings, den sie so beleidigt, werde sie gewiß töten. Dies geschah am Nachmittag und am nächsten Tag um zwölf Uhr war sie tot. Das Feuerzeug eines Maori-Häuptlings brachte einmal mehrere Personen ums Leben. Der Häuptling hatte es verloren, andere fanden es und bedienten sich seiner, um ihre Pfeifen anzuzünden. Als sie erfuhren, wessen Eigentum das Feuerzeug sei, starben sie alle vor Schrecken.

Es ist nicht zu verwundern, wenn sich das Bedürfnis fühlbar machte, so gefährliche Personen wie Häuptlinge und Priester von den anderen zu isolieren, eine Mauer um sie aufzuführen, hinter welcher sie für die anderen unzugänglich waren. Es mag uns die Erkenntnis dämmern, daß diese ursprünglich aus Tabuvorschriften gefügte Mauer heute noch als höfisches Zeremoniell existiert.

Aber der vielleicht größere Teil dieses Tabu der Herrscher läßt sich nicht auf das Bedürfnis des Schutzes vor ihnen zurückführen. Der andere Gesichtspunkt in der Behandlung der privilegierten Personen, das Bedürfnis, sie selbst vor den ihnen drohenden Gefahren zu schützen, hat an der Schaffung der Tabu und somit an der Entstehung der höfischen Etikette den deutlichsten

Anteil gehabt.

Die Notwendigkeit, den König vor allen erdenklichen Gefahren zu schützen, ergibt sich aus seiner ungeheuern Bedeutung für das Wohl und Wehe seiner Untertanen. Streng genommen ist es seine Person, die den Lauf der Welt reguliert; sein Volk hat ihm nicht nur für den Regen und Sonnenschein zu danken, der die Früchte der Erde gedeihen läßt, sondern auch für den Wind, der Schiffe an ihre Küste bringt und für den festen Boden, auf den sie ihre Füße setzen.

Diese Könige der Wilden sind mit einer Machtfülle und einer Fähigkeit, zu beglücken, ausgestattet, die nur Göttern zu eigen ist, und an welche auf späteren Stufen der Zivilisation nur die servilsten ihrer Höflinge Glauben heucheln werden.

Es erscheint ein offenbarer Widerspruch, daß Personen von solcher Machtvollkommenheit selbst der größten Sorgfalt bedürfen, um vor den sie bedrohenden Gefahren beschützt zu werden, aber es ist nicht der einzige Widerspruch, der in der Behandlung königlicher Personen bei den Wilden zutage tritt. Diese Völker halten es auch für notwendig, ihre Könige zu überwachen, daß sie ihre Kräfte im rechten Sinne verwenden; sie sind ihrer guten Intentionen oder ihrer Gewissenhaftigkeit keineswegs sicher. Ein Zug von Mißtrauen mengt sich der Motivierung der Tabuvorschriften für den König bei. »Die Idee, daß urzeitliches Königstum ein Despotismus ist,« sagt Frazer, »demzufolge das Volk nur für seinen Herrscher existiert, ist auf die Monarchien, die wir hier im Auge haben, ganz und gar nicht anwendbar. Im Gegenteile, in diesen lebt der Herrscher nur für seine Untertanen; sein Leben hat einen Wert nur so lange, als er die Pflichten seiner Stellung erfüllt, den Lauf der Natur zum Besten seines Volkes regelt. Sobald er darin nachläßt oder versagt, wandeln sich die Sorgfalt, die Hingebung, die religiöse Verehrung, deren Gegenstand er bisher im ausgiebigsten Maße war, in Haß und Verachtung um. Er wird schmählich davongejagt und mag froh sein, wenn er das nackte Leben rettet. Heute noch als Gott verehrt, mag es ihm passieren, morgen als Verbrecher erschlagen zu werden. Aber wir haben kein Recht, dies veränderte Benehmen seines Volkes als Unbeständigkeit oder Widerspruch zu verurteilen, das Volk bleibt vielmehr durchaus konsequent. Wenn ihr König ihr Gott ist, so denken sie, muß er sich auch als ihr Beschützer erweisen; und wenn er sie nicht beschützen will, soll er einem anderen, der bereitwilliger ist, den Platz räumen. So lange er aber ihren Erwartungen entspricht, kennt ihre Sorgfalt für ihn keine Grenzen, und sie nötigen ihn dazu, sich selbst mit der gleichen Fürsorge zu behandeln. Ein solcher König lebt wie eingemauert hinter einem System von Zeremoniell und Etikette, eingesponnen in ein Netz von Gebräuchen und Verboten, deren Absicht keineswegs dahin geht, seine Würde zu erhöhen, noch weniger sein Wohlbehagen zu steigern, sondern die einzig und allein bezwecken, ihn vor Schritten zurückzuhalten, welche die Harmonie der Natur stören und so ihn, sein Volk und das ganze Weltall gleichzeitig zugrunde richten könnten. Diese Vorschriften, weit entfernt, seinem Behagen zu dienen, mengen sich in jede seiner Handlungen, heben seine Freiheit auf und machen ihm das Leben, das sie angeblich versichern wollen, zur Bürde und zur Qual.«

Eines der grellsten Beispiele von solcher Fesselung und Lähmung eines heiligen Herrschers durch das Tabu-Zeremoniell scheint in der Lebensweise des Mikado von Japan in früheren Jahrhunderten erzielt worden zu sein. Eine Beschreibung, die jetzt über zweihundert Jahre alt ist, erzählt: »Der Mikado glaubt, daß es seiner Würde und Heiligkeit nicht angemessen sei, den Boden mit den Füßen zu berühren; wenn er also irgendwohin gehen will, muß er auf den Schultern von Männern hingetragen werden. Es geht aber noch viel weniger an, daß er seine heilige Person der freien Luft aussetze, und die Sonne wird der Ehre nicht gewürdigt, auf sein Haupt zu scheinen. Allen Teilen seines Körpers wird eine so hohe Heiligkeit zugeschrieben, daß weder sein Haupthaar, noch sein Bart geschoren und seine Nägel nicht geschnitten werden dürfen. Damit er aber nicht zu sehr verwahrlose, waschen sie ihn nachts, wenn er schläft; sie sagen, was man in diesem Zustand von seinem Körper nimmt, kann nur als gestohlen aufgefaßt werden, und ein solcher Diebstahl tut seiner Würde und Heiligkeit keinen Eintrag. In noch früheren Zeiten mußte er jeden Vormittag einige Stunden lang mit der Kaiserkrone auf dem Haupte auf dem Throne sitzen, aber er mußte sitzen wie eine Statue, ohne Hände, Füße, Kopf oder Augen zu bewegen; nur so, meinte man, könne er Ruhe und Frieden im Reiche erhalten. Wenn er unseligerweise sich nach der einen oder der anderen Seite wenden sollte, oder eine Zeitlang den Blick bloß auf einen Teil seines Reiches richtete, so würden Krieg, Hungersnot, Feuer, Pest oder sonst ein großes Unheil hereinbrechen, um das Land zu verheeren.«

Einige der Tabu, denen barbarische Könige unterworfen sind, mahnen lebhaft an die Beschränkungen der Mörder. In Shark Point bei Kap Padron in Unter-Guinea (Westafrika) lebt ein Priesterkönig, Kukulu, allein in einem Wald. Er darf kein Weib berühren, auch sein Haus nicht verlassen, ja nicht einmal von seinem Stuhl aufstehen, in dem er sitzend schlafen muß. Wenn er sich niederlegte, würde der Wind aufhören und die Schiffahrt gestört sein. Seine Funktion ist es, die Stürme in Schranken zu halten und im allgemeinen für einen gleichmäßig gesunden Zustand der Atmosphäre zu sorgen. Je mächtiger ein König von Loango ist, sagt Bastian, desto mehr Tabu muß er beobachten. Auch der Thronfolger ist von Kindheit an an sie gebunden, aber sie häufen sich um ihn, während er heranwächst; im Momente der Thronbesteigung ist er von ihnen erstickt.

Unser Raum gestattet es nicht und unser Interesse erfordert es nicht, daß wir in die Beschreibung der an der Königs- oder Priesterwürde haftenden Tabu weiter eingehen. Führen wir noch an, daß Beschränkungen der freien Bewegung und der Diät die Hauptrolle unter ihnen spielen. Wie konservierend aber auf alte Gebräuche der Zusammenhang mit diesen privilegierten Personen wirkt, mag aus zwei Beispielen von Tabuzeremoniell hervorgehen, die von zivilisierten Völkern, also von weit höheren Kulturstufen, genommen sind.

Der Flamen Dialis, der Oberpriester des Jupiter im alten Rom, hatte eine außerordentlich große Anzahl von Tabugeboten zu beobachten. Er durfte nicht reiten, kein Pferd, keine Bewaffneten sehen, keinen Ring tragen, der nicht zerbrochen war, keinen Knoten an seinen Gewändern haben, Weizenmehl und Sauerteig nicht berühren, eine Ziege, einen Hund, rohes Fleisch, Bohnen und Efeu nicht einmal beim Namen nennen; sein Haar durfte nur von einem freien Mann mit einem Bronzemesser geschnitten, seine Haare und Nägelabfälle mußten unter einem glückbringenden Baum vergraben werden; er durfte keinen Toten anrühren, nicht unbedeckten Hauptes unter freiem Himmel stehen und dergleichen. Seine Frau, dieFlaminica, hatte überdies ihre eigenen Verbote: Sie durfte auf einer gewissen Art von Treppen nicht höher als drei Stufen steigen, an gewissen Festtagen ihr Haar nicht kämmen; das Leder ihrer Schuhe durfte von keinem Tier genommen werden, das eines natürlichen Todes gestorben war, sondern nur von einem geschlachteten oder geopferten; wenn sie Donner hörte, war sie unrein, bis sie ein Sühnopfer dargebracht hatte.

Die alten Könige von Irland waren einer Reihe von höchst sonderbaren Beschränkungen unterworfen, von deren Einhaltung aller Segen, von deren Übertretung alles Unheil für das Land erwartet wurde. Das vollständige Verzeichnis dieser Tabu ist in dem Book of Rightsgegeben, dessen älteste handschriftliche Exemplare die Jahreszahlen 1390 und 1418 tragen. Die Verbote sind äußerst detailliert, betreffen gewisse Tätigkeiten an bestimmten Orten und zu bestimmten Zeiten; in dieser Stadt darf der König nicht an einem gewissen Wochentag weilen, jenen Fluß nicht um eine genannte Stunde übersetzen, nicht volle neun Tage auf einer gewissen Ebene lagern und dergleichen.

Die Härte der Tabubeschränkungen für die Priesterkönige hat bei vielen wilden Völkern eine Folge gehabt, die historisch bedeutsam und für unsere Gesichtspunkte besonders interessant ist. Die Priester-Königswürde hörte auf, etwas Begehrenswertes zu sein; wem sie bevorstand, der wandte oft alle Mittel an, um ihr zu entgehen. So wird es auf Combodscha, wo es einen Feuer- und einen Wasserkönig gibt, oft notwendig, die Nachfolger mit Gewalt zur Annahme der Würde zu zwingen. Auf Nine oderSavage Island, einer

Koralleninsel im Stillen Ozean, kam die Monarchie tatsächlich zum Ende, weil sich niemand mehr bereit finden wollte, das verantwortliche und gefährliche Amt zu übernehmen. In manchen Teilen von Westafrika wird nach dem Tode des Königs ein geheimes Konzil abgehalten, um den Nachfolger zu bestimmen. Der, auf welchen die Wahl fällt, wird gepackt, gebunden und im Fetischhaus in Gewahrsam gehalten, bis er sich bereit erklärt hat, die Krone anzunehmen. Gelegentlich findet der präsumptive Thronfolger Mittel und Wege, um sich der ihm zugedachten Ehre zu entziehen; so wird von einem Häuptling berichtet, daß er Tag und Nacht Waffen zu tragen pflegte, um jedem Versuch, ihn auf den Thron zu setzen, mit Gewalt zu widerstehen. Bei den Negern von Sierra Leone ward das Widerstreben gegen die Annahme der Königswürde so groß, daß die meisten Stämme genötigt waren, Fremde zu ihren Königen zu machen.

Frazer führt es auf diese Verhältnisse zurück, daß sich in der Entwicklung der Geschichte endlich eine Scheidung des ursprünglichen Priester-Königstums in eine geistliche und weltliche Macht vollzog. Die von der Bürde ihrer Heiligkeit erdrückten Könige wurden unfähig, die Herrschaft in realen Dingen auszuüben, und mußten diese geringeren, aber tatkräftigen Personen überlassen, welche bereit waren, auf die Ehren der Königswürde zu verzichten. Aus diesen erwuchsen dann die weltlichen Herrscher, während die nun praktisch bedeutungslose geistliche Oberhoheit den früheren Tabukönigen verblieb. Es ist bekannt, inwieweit diese Aufstellung in der Geschichte des alten Japans Bestätigung findet.

Wenn wir nun das Bild der Beziehungen der primitiven Menschen zu ihren Herrschern überblicken, so regt sich in uns die Erwartung, daß uns der Fortschritt von seiner Beschreibung zu seinem psychoanalytischen Verständnis nicht schwer fallen wird. Diese Beziehungen sind sehr verwickelter Natur und nicht frei von Widersprüchen. Man räumt den Herrschern große Vorrechte ein, welche sich mit den Tabuverboten der anderen geradezu decken. Es sind privilegierte Personen; sie dürfen eben das tun oder genießen, was den übrigen durch das Tabu vorenthalten ist. Im Gegensatz zu dieser Freiheit steht aber, daß sie durch andere Tabu beschränkt sind, welche auf die gewöhnlichen Individuen nicht drücken. Hier ist also ein erster Gegensatz, fast ein Widerspruch, zwischen einem Mehr von Freiheit und einem Mehr an Beschränkung für dieselben Personen. Man traut ihnen außerordentliche Zauberkräfte zu und fürchtet sich deshalb vor der Berührung mit ihren Personen oder ihrem Eigentum, während man anderseits von diesen Berührungen die wohltätigste Wirkung erwartet. Dies scheint ein zweiter besonders greller Widerspruch zu sein; allein wir haben bereits erfahren, daß er nur scheinbar ist. Heilend und schützend wirkt die Berührung, die vom König selbst in wohlwollender Absicht ausgeht; gefährlich ist nur die

Berührung, die vom gemeinen Mann am König und am Königlichen verübt wird, wahrscheinlich, weil sie an aggressive Tendenzen mahnen kann. Ein anderer, nicht so leicht auflösbarer Widerspruch äußert sich darin, daß man dem Herrscher eine so große Gewalt über die Vorgänge der Natur zuschreibt und sich doch für verpflichtet hält, ihn mit ganz besonderer Sorgfalt gegen ihm drohende Gefahren zu beschützen, als ob seine eigene Macht, die so vieles kann, nicht auch dies vermöchte. Eine weitere Erschwerung des Verhältnisses stellt sich dann her, indem man dem Herrscher nicht das Zutrauen entgegenbringt, er werde seine ungeheure Macht in der richtigen Weise zum Vorteil der Untertanen wie zu seinem eigenen Schutz verwenden wollen; man mißtraut ihm also und hält sich für berechtigt, ihn zu überwachen. Allen diesen Absichten der Bevormundung des Königs, seinem Schutz vor Gefahren und dem Schutz der Untertanen vor der Gefahr, die er ihnen bringt, dient gleichzeitig die Tabuetikette, der das Leben des Königs unterworfen wird.

Es liegt nahe, folgende Erklärung für das komplizierte und widerspruchsvolle Verhältnis der Primitiven zu ihren Herrschern zu geben: Aus abergläubischen und anderen Motiven kommen in der Behandlung der Könige mannigfache Tendenzen zum Ausdruck, von denen jede ohne Rücksicht auf die anderen zum Extrem entwickelt wird. Daraus entstehen dann die Widersprüche, an denen der Intellekt der Wilden übrigens so wenig Anstoß nimmt wie der der Höchstzivilisierten, wenn es sich nur um Verhältnisse der Religion oder der »Loyalität« handelt.

Das wäre soweit gut, aber die psychoanalytische Technik wird vielleicht gestatten, tiefer in den Zusammenhang einzudringen und Näheres über die Natur dieser mannigfaltigen Tendenzen auszusagen. Wenn wir den geschilderten Sachverhalt der Analyse unterziehen, gleichsam als ob er sich im Symptombild einer Neurose fände, so werden wir zunächst an das Übermaß von ängstlicher Sorge anknüpfen, welches als Begründung des Tabuzeremoniells ausgegeben wird. Dies Vorkommen einer solchen Überzärtlichkeit ist in der Neurose, speziell bei der Zwangsneurose, die wir in erster Linie zum Vergleich heranziehen, sehr gewöhnlich. Ihre Herkunft ist uns sehr wohl verständlich worden. Sie tritt überall dort auf, wo außer der vorherrschenden Zärtlichkeit eine gegensätzliche aber unbewußte Strömung von Feindseligkeit besteht, also der typische Fall der ambivalenten Gefühlseinstellung realisiert ist. Dann wird die Feindseligkeit überschrieen durch eine übermäßige Steigerung der Zärtlichkeit, die sich als Ängstlichkeit äußert und die zwanghaft wird, weil sie sonst ihrer Aufgabe, die unbewußte Gegenströmung in der Verdrängung zu erhalten, nicht genügen würde. Jeder Psychoanalytiker hat es erfahren, mit welcher Sicherheit die ängstliche Überzärtlichkeit unter den unwahrscheinlichsten Verhältnissen, z. B. zwischen

Mutter und Kind oder bei zärtlichen Eheleuten, diese Auflösung gestattet. Auf die Behandlung der privilegierten Personen angewendet, ergäbe sich die Einsicht, daß der Verehrung, ja Vergötterung derselben im Unbewußten eine intensive feindselige Strömung entgegensteht, daß also hier, wie wir es erwartet haben, die Situation der ambivalenten Gefühlseinstellung verwirklicht ist. Das Mißtrauen, welches als Beitrag zur Motivierung der Königstabu unabweisbar erscheint, wäre eine andere direktere Äußerung derselben unbewußten Feindseligkeit. Ja, wir wären – infolge der Mannigfaltigkeit der Endausgänge eines solchen Konfliktes bei verschiedenen Völkern – nicht um Beispiele verlegen, in denen uns der Nachweis einer solchen Feindseligkeit noch viel leichter fiele. Die wilden Timmes von Sierra Leone, hören wir bei Frazer, haben sich das Recht vorbehalten, ihren gewählten König am Abend vor seiner Krönung durchzuprügeln, und sie bedienen sich dieses konstitutionellen Vorrechtes mit solcher Gründlichkeit, daß der unglückliche Herrscher gelegentlich seine Erhebung auf den Thron um nicht lange Zeit überlebt, daher haben es sich die Großen des Volkes zur Regel gemacht, wenn sie einen Groll gegen einen bestimmten Mann haben, diesen zum König zu wählen. Immerhin wird auch in solchen grellen Fällen die Feindseligkeit sich nicht als solche bekennen, sondern sich als Zeremoniell gebärden.

Ein anderes Stück im Verhalten der Primitiven gegen ihre Herrscher ruft die Erinnerung an einen Vorgang wach, der, in der Neurose allgemein verbreitet, in dem sogenannten Verfolgungswahn offen zutage tritt. Es wird hier die Bedeutung einer bestimmten Person außerordentlich erhöht, ihre Machtvollkommenheit ins Unwahrscheinliche gesteigert, um ihr desto eher die Verantwortlichkeit für alles Peinliche, was dem Kranken widerfährt, aufladen zu können. Eigentlich verfahren ja die Wilden mit ihren Königen nicht anders, wenn sie ihnen die Macht über Regen und Sonnenschein, Wind und Wetter zuschreiben und sie dann absetzen oder töten, weil die Natur ihre Erwartungen auf eine gute Jagd oder eine reife Ernte enttäuscht hat. Das Vorbild, welches der Paranoiker im Verfolgungswahn wiederherstellt, liegt im Verhältnis des Kindes zu seinem Vater. Dem Vater kommt eine derartige Machtfülle in der Vorstellung des Sohnes regelmäßig zu, und es zeigt sich, daß das Mißtrauen gegen den Vater mit seiner Hochschätzung innig verknüpft ist. Wenn der Paranoiker eine Person seiner Lebensbeziehungen zu seinem »Verfolger« ernennt, so hebt er sie damit in die Väterreihe, bringt sie unter die Bedingungen, die ihm gestatten, sie für alles Unglück seiner Empfindung verantwortlich zu machen. So mag uns diese zweite Analogie zwischen dem Wilden und dem Neurotiker die Einsicht ahnen lassen, wie vieles im Verhältnis des Wilden zu seinem Herrscher aus der infantilen Einstellung des Kindes zum Vater hervorgehen mag.

Den stärksten Anhaltungspunkt für unsere Betrachtungsweise, welche die

Tabuverbote mit neurotischen Symptomen vergleichen will, finden wir aber im Tabuzeremoniell selbst, dessen Bedeutung für die Stellung des Königstums vorhin erörtert wurde. Dieses Zeremoniell trägt seinen Doppelsinn und seine Herkunft von ambivalenten Tendenzen unverkennbar zur Schau, wenn wir nur annehmen wollen, daß es die Wirkungen, die es hervorbringt, auch von allem Anfang an beabsichtigt hat. Es zeichnet nicht nur die Könige aus und erhebt sie über alle gewöhnlichen Sterblichen, es macht ihnen auch das Leben zur Qual und zur unerträglichen Bürde und zwingt sie in eine Knechtschaft, die weit ärger ist als die ihrer Untertanen. Es erscheint uns so als das richtige Gegenstück zur Zwangshandlung der Neurose, in der sich der unterdrückte Trieb und der ihn unterdrückende zur gleichzeitigen und gemeinsamen Befriedigung treffen. Die Zwangshandlung ist angeblich ein Schutz gegen die verbotene Handlung; wir möchten aber sagen, sie ist eigentlich die Wiederholung des Verbotenen. Das »angeblich« wendet sich hier der bewußten, das »eigentlich« der unbewußten Instanz des Seelenlebens zu. So ist auch das Tabuzeremoniell der Könige angeblich die höchste Ehrung und Sicherung derselben, eigentlich die Strafe für ihre Erhöhung, die Rache, welche die Untertanen an ihnen nehmen. Die Erfahrungen, die Sancho Pansa bei Cervantes als Gouverneur auf seiner Insel macht, haben ihn offenbar diese Auffassung des höfischen Zeremoniells als die einzig zutreffende erkennen lassen. Es ist sehr wohl möglich, daß wir weitere Zustimmungen zu hören bekämen, wenn wir Könige und Herrscher von heute zur Äußerung darüber veranlassen könnten.

Warum die Gefühlseinstellung gegen die Herrscher einen so mächtigen unbewußten Beitrag von Feindseligkeit enthalten sollte, ist ein sehr interessantes, aber die Grenzen dieser Arbeit überschreitendes Problem. Den Hinweis auf den infantilen Vaterkomplex haben wir bereits gegeben; fügen wir hinzu, daß die Verfolgung der Vorgeschichte des Königtums uns die entscheidenden Aufklärungen bringen müßte. Nach Frazers eindrucksvollen, aber nach eigenem Zugeständnis nicht ganz zwingenden Erörterungen waren die ersten Könige Fremde, die nach kurzer Herrschaft zum Opfertod bei feierlichen Festen als Repräsentanten der Gottheit bestimmt waren. Noch die Mythen des Christentums wären von der Nachwirkung dieser Entwicklungsgeschichte der Könige berührt.

### *c/ Das Tabu der Toten.*

Wir wissen, daß die Toten mächtige Herrscher sind; wir werden vielleicht erstaunt sein zu erfahren, daß sie als Feinde betrachtet werden.

Das Tabu der Toten erweist, wenn wir auf dem Boden des Vergleiches mit der Infektion bleiben dürfen, bei den meisten primitiven Völkern eine besondere Virulenz. Es äußert sich zunächst in den Folgen, welche die Berührung des

Toten nach sich zieht, und in der Behandlung der um den Toten Trauernden. Bei den Maori war jeder, der eine Leiche berührt oder an ihrer Grablegung teilgenommen hatte, aufs äußerste unrein und nahezu abgeschnitten von allem Verkehr mit seinen Mitmenschen, sozusagen boykottiert. Er konnte kein Haus betreten, keiner Person oder Sache nahe kommen, ohne sie mit der gleichen Eigenschaft anzustecken. Ja, er durfte nicht einmal Nahrung mit seinen Händen berühren, diese waren ihm durch ihre Unreinheit geradezu unbrauchbar geworden. Man stellte ihm das Essen auf den Boden hin, und ihm blieb nichts übrig, als sich seiner mit den Lippen und den Zähnen, so gut es eben ging, zu bemächtigen, während er seine Hände nach dem Rücken gebogen hielt. Gelegentlich war es erlaubt, daß eine andere Person ihn füttere, die es dann mit ausgestrecktem Arm tat, sorgsam, den Unseligen nicht selbst zu berühren, aber diese Hilfsperson war dann selbst Einschränkungen unterworfen, die nicht viel weniger drückend waren als seine eigenen. Es gab wohl in jedem Dorf ein ganz verkommenes, von der Gesellschaft ausgestoßenes Individuum, das in der armseligsten Weise von spärlichen Almosen lebte. Diesem Wesen war es allein gestattet, sich auf Armeslänge dem zu nähern, der die letzte Pflicht gegen einen Verstorbenen erfüllt hatte. War aber dann die Zeit der Abschließung vorüber, und durfte der durch die Leiche Verunreinigte sich wieder unter seine Genossen mengen, so wurde alles Geschirr, dessen er sich in der gefährlichen Zeit bedient hatte, zerschlagen, und alles Zeug weggeworfen, mit dem er bekleidet gewesen war.

Die Tabugebräuche nach der körperlichen Berührung von Toten sind in ganz Polynesien, Melanesien und in einem Teil von Afrika die nämlichen; ihr konstantestes Stück ist das Verbot, Nahrung selbst zu berühren, und die sich daraus ergebende Notwendigkeit, von anderen gefüttert zu werden. Es ist bemerkenswert, daß in Polynesien oder vielleicht nur in Hawaii Priesterkönige während der Ausübung heiliger Handlungen derselben Beschränkung unterlagen. Bei den Tabu der Toten auf Tonga tritt die Abstufung und allmähliche Aufhebung der Verbote durch die eigene Tabukraft sehr deutlich hervor. Wer den Leichnam eines toten Häuptlings berührt hatte, war durch zehn Monate unrein; wenn er aber selbst ein Häuptling war, nur durch drei, vier oder fünf Monate, je nach dem Rang des Verstorbenen; aber wenn es sich um die Leiche des vergötterten Oberhäuptlings handelte, wurden selbst die größten Häuptlinge durch zehn Monate tabu. Die Wilden glauben fest daran, daß, wer solche Tabuvorschriften übertritt, schwer erkranken und sterben muß, so fest, daß sie nach der Meinung eines Beobachters noch niemals den Versuch gewagt haben, sich vom Gegenteil zu überzeugen.

Im wesentlichen gleichartig, aber für unsere Zwecke interessanter sind die Tabubeschränkungen jener Personen, deren Berührung mit den Toten in übertragenem Sinne zu verstehen ist, der trauernden Angehörigen, der Witwer und Witwen. Sehen wir in den bisher erwähnten Vorschriften nur den typischen Ausdruck der Virulenz und der Ausbreitungsfähigkeit des Tabu, so schimmern in den nun mitzuteilenden die Motive der Tabu durch, und zwar sowohl die vorgeblichen als auch solche, die wir für die tiefliegenden, echten halten dürfen.

Bei den Shuswap in Britisch-Columbia müssen Witwen und Witwer während ihrer Trauerzeit abgesondert leben; sie dürfen weder ihren eigenen Körper noch ihren Kopf mit ihren Händen berühren; alles Geschirr, dessen sie sich bedienen, ist dem Gebrauche anderer entzogen. Kein Jäger wird sich der Hütte, in welcher solche Trauernde wohnen, nähern wollen, denn das brächte ihm Unglück; wenn der Schatten eines Trauernden auf ihn fallen würde, müßte er erkranken. Die Trauernden schlafen auf Dornbüschen und umgeben ihr Bett mit solchen. Diese letztere Maßregel ist dazu bestimmt, den Geist des Verstorbenen ferne zu halten, und noch deutlicher ist wohl der von anderen nordamerikanischen Stämmen berichtete Gebrauch der Witwe, eine Zeitlang nach dem Tode des Mannes ein hosenartiges Kleidungsstück aus trockenem Gras zu tragen, um sich unzugänglich für die Annäherung des Geistes zu machen. So wird uns die Vorstellung nahe gelegt, daß die Berührung »im übertragenen Sinne« doch nur als ein körperlicher Kontakt verstanden wird, da der Geist des Verstorbenen nicht von seinen Angehörigen weicht, nicht abläßt, sie während der Zeit der Trauer zu »umschweben«.

Bei den Agutainos, die auf Palawan, einer der Philippinen, wohnen, darf eine Witwe ihre Hütte die ersten sieben oder acht Tage nach dem Todesfall nicht verlassen, es sei denn zur Nachtzeit, wenn sie Begegnungen nicht zu erwarten hat. Wer sie erschaut, gerät in Gefahr, augenblicklich zu sterben, und darum warnt sie selbst vor ihrer Annäherung, indem sie bei jedem Schritt mit einem hölzernen Stab gegen die Bäume schlägt; diese Bäume aber verdorren. Worin die Gefährlichkeit einer solchen Witwe bestehen mag, wird uns durch eine andere Beobachtung erläutert. Im Mekeobezirk von Britisch-Neu-Guinea wird ein Witwer aller bürgerlichen Rechte verlustig und lebt für eine Weile wie ein Ausgestoßener. Er darf keinen Garten bebauen, sich nicht öffentlich zeigen, das Dorf und die Straße nicht betreten. Er schleicht wie ein wildes Tier im hohen Gras oder im Gebüsch umher, und muß sich im Dickicht verstecken, wenn er jemanden, besonders aber ein Weib, herannahen sieht. Diese letzte Andeutung macht es uns leicht, die Gefährlichkeit des Witwers oder der Witwe auf die Gefahr derVersuchung zurückzuführen. Der Mann, der sein Weib verloren hat, soll dem Begehren nach einem Ersatz ausweichen; die Witwe hat mit demselben Wunsch zu kämpfen und mag überdies als herrenlos die Begehrlichkeit anderer Männer erwecken. Jede solche Ersatzbefriedigung läuft gegen den

Sinn der Trauer; sie müßte den Zorn des Geistes auflodern lassen.

Eines der befremdendsten, aber auch lehrreichsten Tabugebräuche der Trauer bei den Primitiven ist das Verbot, den Namen des Verstorbenen auszusprechen. Es ist ungemein verbreitet, hat mannigfaltige Ausführungen erfahren und bedeutsame Konsequenzen gehabt.

Außer bei den Australiern und Polynesiern, welche uns die Tabugebräuche in ihrer besten Erhaltung zu zeigen pflegen, findet sich dies Verbot bei so entfernten und einander so fremden Völkern, wie dieSamojeden in Sibirien und die Todas in Südindien, die Mongolen der Tartarei und dieTuaregs der Sahara, die Aino in Japan und die Akamba und Nandi in Zentralafrika, dieTinguanen auf den Philippinen und die Einwohner der Nikobarischen Inseln, vonMadagaskar und Borneo. Bei einigen dieser Völker gilt das Verbot und die aus ihm sich ableitenden Folgen nur für die Zeit der Trauer, bei anderen bleibt es permanent, doch scheint es in allen Fällen mit der Entfernung vom Zeitpunkt des Todesfalles abzublassen.

Die Vermeidung des Namens des Verstorbenen wird in der Regel außerordentlich strenge gehandhabt. So gilt es bei manchen südamerikanischen Stämmen als die schwerste Beleidigung der Überlebenden, den Namen des verstorbenen Angehörigen vor ihnen auszusprechen, und die darauf gesetzte Strafe ist nicht geringer als die für eine Mordtat selbst festgesetzte. Warum die Nennung des Namens so verabscheut werden sollte, ist zunächst nicht leicht zu erraten, aber die mit ihr verbundenen Gefahren haben eine ganze Reihe von Auskunftsmitteln entstehen lassen, die nach verschiedenen Richtungen interessant und bedeutungsvoll sind. So sind die Masai in Afrika auf die Ausflucht gekommen, den Namen des Verstorbenen unmittelbar nach seinem Tode zu ändern; er darf nun ohne Scheu mit dem neuen Namen erwähnt werden, während alle Verbote an den alten geknüpft bleiben. Es scheint dabei vorausgesetzt, daß der Geist seinen neuen Namen nicht kennt und nicht erfahren wird. Die australischen Stämme an derAdelaide und der Encounter Bay sind in ihrer Vorsicht so konsequent, daß nach einem Todesfall alle Personen ihren Namen gegen einen anderen vertauschen, welche ebenso oder sehr ähnlich geheißen haben wie der Verstorbene. Manchmal wird in weiterer Ausdehnung derselben Erwägung die Namensänderung nach einem Todesfall bei allen Angehörigen des Verstorbenen vorgenommen, ohne Rücksicht auf den Gleichklang der Namen, so bei einigen Stämmen in Victoria und inNordwestamerika. Ja bei den Guaycurus in Paraguay pflegte der Häuptling bei so traurigem Anlaß allen Mitgliedern des Stammes neue Namen zu geben, die sie fortan erinnerten, als ob sie sie von jeher getragen hätten.

Ferner, wenn der Name des Verstorbenen sich mit der Bezeichnung eines Tieres, Gegenstandes usw. gedeckt hatte, erschien es manchen unter den angeführten Völkern notwendig, auch diese Tiere und Objekte neu zu benennen, damit man beim Gebrauch dieser Worte nicht an den Verstorbenen erinnert werde. Daraus mußte sich eine nie zur Ruhe kommende Veränderung des Sprachschatzes ergeben, die den Missionären Schwierigkeiten genug bereitete, besonders wo die Namensverpönung eine permanente war. In den sieben Jahren, die der Missionär Dobrizhofer bei den Abiponen in Paraguay verbrachte, wurde der Name für Jaguar dreimal abgeändert, und die Worte für Krokodil, Dornen und Tierschlachten hatten ähnliche Schicksale. Die Scheu, einen Namen auszusprechen, der einem Verstorbenen angehört hat, dehnt sich aber auch nach der Richtung hin aus, daß man alles zu erwähnen vermeidet, wobei dieser Verstorbene eine Rolle spielte, und als bedeutsame Folge dieses Unterdrückungsprozesses ergibt sich, daß diese Völker keine Tradition, keine historischen Reminiszenzen haben und einer Erforschung ihrer Vorgeschichte die größten Schwierigkeiten in den Weg legen. Bei einer Reihe dieser primitiven Völker haben sich aber auch kompensierende Gebräuche eingebürgert, um die Namen der Verstorbenen nach einer langen Zeit von Trauer wieder zu erwecken, indem man sie an Kinder verleiht, die als die Wiedergeburt der Toten betrachtet werden.

Das Befremdende dieses Namentabu ermäßigt sich, wenn wir daran gemahnt werden, daß für die Wilden der Name ein wesentliches Stück und ein wichtiger Besitz der Persönlichkeit ist, daß sie dem Wort volle Dingbedeutung zuschreiben. Dasselbe tun, wie ich an anderen Orten ausgeführt habe, unsere Kinder, die sich darum niemals mit der Annahme einer bedeutungslosen Wortähnlichkeit begnügen, sondern konsequent schließen, wenn zwei Dinge mit gleichklingenden Namen genannt werden, so müßte damit eine tiefgehende Übereinstimmung zwischen beiden bezeichnet sein. Auch der zivilisierte Erwachsene mag an manchen Besonderheiten seines Benehmens noch erraten, daß er von dem Voll- und Wichtignehmen der Eigennamen nicht so weit entfernt ist, wie er glaubt, und daß sein Name in einer ganz besonderen Art mit seiner Person verwachsen ist. Es stimmt dann hiezu, wenn die psychoanalytische Praxis vielfachen Anlaß findet, auf die Bedeutung der Namen in der unbewußten Denktätigkeit hinzuweisen. Die Zwangsneurotiker benehmen sich dann, wie zu erwarten stand, in betreff der Namen ganz wie die Wilden. Sie zeigen die volle »Komplexempfindlichkeit« gegen das Aussprechen und Anhören bestimmter Worte und Namen (ähnlich wie auch andere Neurotiker), und leiten aus ihrer Behandlung des eigenen Namens eine gute Anzahl von oft schweren Hemmungen ab. Eine solche Tabukranke, die ich kannte, hatte die Vermeidung angenommen, ihren Namen niederzuschreiben, aus Angst, er könnte in jemandens Hand geraten, der damit in den Besitz eines Stückes von ihrer Persönlichkeit gekommen wäre. In der krampfhaften Treue, durch die sie sich gegen die Versuchungen ihrer Phantasie schützen mußte, hatte sie sich das Gebot geschaffen, »nichts von ihrer Person herzugeben«. Dazu gehörte zunächst der Name, in weiterer Ausdehnung die Handschrift, und darum gab sie schließlich das Schreiben auf.

So finden wir es nicht mehr auffällig, wenn von den Wilden der Name des Toten als ein Stück seiner Person gewertet und zum Gegenstand des den Toten betreffenden Tabu gemacht wird. Auch die Namensnennung des Toten läßt sich auf die Berührung mit ihm zurückführen, und wir dürfen uns dem umfassenderen Problem zuwenden, weshalb diese Berührung von so strengem Tabu betroffen ist.

Die naheliegendste Erklärung würde auf das natürliche Grauen hinweisen, welches der Leichnam und die Veränderungen, die alsbald an ihm bemerkt werden, erregt. Daneben müßte man der Trauer um den Toten einen Platz einräumen, als Motiv für alles, was sich auf diesen Toten bezieht. Allein das Grauen vor dem Leichnam deckt offenbar nicht die Einzelheiten der Tabuvorschriften, und die Trauer kann uns niemals erklären, daß die Erwähnung des Toten ein schwerer Schimpf für dessen Hinterbliebene ist. Die Trauer liebt es vielmehr, sich mit dem Verstorbenen zu beschäftigen, sein Andenken auszuarbeiten und für möglichst lange Zeit zu erhalten. Für die Eigentümlichkeiten der Tabugebräuche muß etwas anderes als die Trauer verantwortlich gemacht werden, etwas, was offenbar andere Absichten als diese verfolgt. Gerade die Tabu der Namen verraten uns dies noch unbekannte Motiv und sagten es die Gebräuche nicht, so würden wir es aus den Angaben der trauernden Wilden selbst erfahren.

Sie machen nämlich kein Hehl daraus, daß sie sich vor der Gegenwart und der Wiederkehr des Geistes des Verstorbenen fürchten; sie üben eine Menge von Zeremonien, um ihn fern zu halten, ihn zu vertreiben. Seinen Namen auszusprechen, dünkt ihnen eine Beschwörung, der seine Gegenwart auf dem Fuße folgen wird. Sie tun darum folgerichtig alles, um einer solchen Beschwörung und Erweckung aus dem Wege zu gehen. Sie verkleiden sich, damit der Geist sie nicht erkenne, oder sie entstellen seinen oder den eigenen Namen; sie wüten gegen den rücksichtslosen Fremden, der den Geist durch Nennung seines Namens auf seine Hinterbliebenen hetzt. Es ist unmöglich, der Folgerung auszuweichen, daß sie nach Wundts Ausdruck, an der Furcht »vor seiner zum Dämon gewordenen Seele« leiden.

Mit dieser Einsicht wären wir bei der Bestätigung der Auffassung Wundts angelangt, welche das Wesen des Tabu, wie wir gehört haben, in der Angst vor den Dämonen findet.

Die Voraussetzung dieser Lehre, daß das teuere Familienmitglied mit dem Augenblicke seines Todes zum Dämon wird, von dem die Hinterbliebenen nur

Feindseliges zu erwarten haben, und gegen dessen böse Gelüste sie sich mit allen Mitteln schützen müssen, ist so sonderbar, daß man ihr zunächst den Glauben versagen wird. Allein so ziemlich alle maßgebenden Autoren sind darin einig, den Primitiven diese Auffassung zuzuschreiben. Westermarck, der in seinem Werke: »Ursprung und Entwicklung der Moralbegriffe« dem Tabu, nach meiner Schätzung, viel zu wenig Beachtung schenkt, äußert in dem Abschnitt: Verhalten gegen Verstorbene direkt: »Überhaupt läßt mich mein Tatsachenmaterial den Schluß ziehen, daß die Toten häufiger als Feinde denn als Freunde angesehen werden und daß Jevons undGrant Allen im Irrtum sind mit ihrer Behauptung, man habe früher geglaubt, die Böswilligkeit der Toten richte sich in der Regel nur gegen Fremde, während sie für Leben und Ergehen ihrer Nachkommen und Clangenossen väterlich besorgt seien.«

R. Kleinpaul hat in einem eindrucksvollen Buche die Reste des alten Seelenglaubens bei den zivilisierten Völkern zur Darstellung des Verhältnisses zwischen den Lebendigen und den Toten verwertet. Es gipfelt auch nach ihm in der Überzeugung, daß die Toten mordlustig die Lebendigen nach sich ziehen. Die Toten töten; das Skelett, als welches der Tod heute gebildet wird, stellt dar, daß der Tod selbst nur ein Toter ist. Nicht eher fühlt sich der Lebendige vor der Nachstellung der Toten sicher, als bis er ein trennendes Wasser zwischen sich und ihn gebracht hat. Daher begrub man die Toten gerne auf Inseln, brachte sie auf die andere Seite eines Flusses; die Ausdrücke Diesseits und Jenseits sind hievon ausgegangen. Eine spätere Milderung hat die Böswilligkeit der Toten auf jene Kategorien beschränkt, denen man ein besonderes Recht zum Groll einräumen mußte, auf die Ermordeten, die ihren Mörder als böse Geister verfolgen, auf die in ungestillter Sehnsucht Gestorbenen, wie die Bräute. Aber ursprünglich, meint Kleinpaul, waren alle Toten Vampyre, alle grollten den Lebenden und trachteten, ihnen zu schaden, sie des Lebens zu berauben. Der Leichnam hat überhaupt erst den Begriff eines bösen Geistes geliefert.

Die Annahme, die liebsten Verstorbenen wandelten sich nach dem Tode zu Dämonen, läßt offenbar eine weitere Fragestellung zu. Was bewog die Primitiven dazu, ihren teueren Toten eine solche Sinnesänderung zuzuschreiben? Warum machten sie sie zu Dämonen? Westermarck glaubt, diese Frage leicht zu beantworten. »Da der Tod zumeist für das schlimmste Unglück gehalten wird, das den Menschen treffen kann, glaubt man, daß die Abgeschiedenen mit ihrem Schicksal äußerst unzufrieden seien. Nach Auffassung der Naturvölker stirbt man nur durch Tötung, sei es gewaltsame, sei es durch Zauberei bewirkte, und schon deshalb sieht man die Seele als rachsüchtig und reizbar an; vermeintlich beneidet sie die Lebenden und sehnt sich nach der Gesellschaft der alten Angehörigen – es ist daher begreiflich, daß sie trachtet, sie durch Krankheiten zu töten, um mit ihnen vereinigt zu werden ....

... Eine weitere Erklärung der Bösartigkeit, die man den Seelen zuschreibt, liegt in der instinktiven Furcht vor diesen, welche Furcht ihrerseits das Ergebnis der Angst vor dem Tode ist.«

Das Studium der psychoneurotischen Störungen weist uns auf eine umfassendere Erklärung hin, welche die Westermarcksche miteinschließt.

Wenn eine Frau ihren Mann, eine Tochter ihre Mutter durch den Tod verloren hat, so ereignet es sich nicht selten, daß die Überlebende von peinigenden Bedenken, die wir »Zwangsvorwürfe« heißen, befallen wird, ob sie nicht selbst durch eine Unvorsichtigkeit oder Nachlässigkeit den Tod der geliebten Person verschuldet habe. Keine Erinnerung daran, wie sorgfältig sie den Kranken gepflegt, keine sachliche Zurückweisung der behaupteten Verschuldung vermag der Qual ein Ende zu machen, die etwa den pathologischen Ausdruck einer Trauer darstellt und mit der Zeit langsam abklingt. Die psychoanalytische Untersuchung solcher Fälle hat uns die geheimen Triebfedern des Leidens kennen gelehrt. Wir haben erfahren, daß diese Zwangsvorwürfe in gewissem Sinne berechtigt und nur darum gegen Widerlegung und Einspruch gefeit sind. Nicht als ob die Trauernde den Tod wirklich verschuldet oder die Vernachlässigung wirklich begangen hätte, wie es der Zwangsvorwurf behauptet; aber es war doch etwas in ihr vorhanden, ein ihr selbst unbewußter Wunsch, der mit dem Tode nicht unzufrieden war, und der ihn herbeigeführt hätte, wenn er im Besitze der Macht gewesen wäre. Gegen diesen unbewußten Wunsch reagiert nun der Vorwurf nach dem Tode der geliebten Person. Solche im Unbewußten versteckte Feindseligkeit hinter zärtlicher Liebe gibt es nun in fast allen Fällen von intensiver Bindung des Gefühls an eine bestimmte Person, es ist der klassische Fall, das Vorbild der Ambivalenz menschlicher Gefühlsregungen. Von solcher Ambivalenz ist bei einem Menschen bald mehr, bald weniger in der Anlage vorgesehen; normalerweise ist es nicht so viel, daß die beschriebenen Zwangsvorwürfe daraus entstehen können. Wo sie aber ausgiebig angelegt ist, da wird sie sich gerade im Verhältnis zu den allergeliebtesten Personen, da, wo man es am wenigsten erwarten würde, manifestieren. Die Disposition zur Zwangsneurose, die wir in der Tabufrage so oft zum Vergleich herangezogen haben, denken wir uns durch ein besonders hohes Maß solcher ursprünglicher Gefühlsambivalenz gegeben.

Wir kennen nun das Moment, welches uns das vermeintliche Dämonentum der frisch verstorbenen Seelen und die Notwendigkeit, sich durch die Tabuvorschriften gegen ihre Feindschaft zu schützen, erklären kann. Wenn wir annehmen, daß dem Gefühlsleben der Primitiven ein ähnlich hohes Maß von

Ambivalenz zukomme, wie wir es nach den Ergebnissen der Psychoanalyse den Zwangskranken zuschreiben, so wird es verständlich, daß nach dem schmerzlichen Verlust eine ähnliche Reaktion gegen die im Unbewußten latente Feindseligkeit notwendig wird, wie sie dort durch die Zwangsvorwürfe erwiesen wurde. Diese im Unbewußten als Befriedigung über den Todesfall peinlich verspürte Feindseligkeit hat aber beim Primitiven ein anderes Schicksal; sie wird abgewehrt, indem sie auf das Objekt der Feindseligkeit, auf den Toten, verschoben wird. Wir heißen diesen im normalen wie im krankhaften Seelenleben häufigen Abwehrvorgang eine Projektion. Der Überlebende leugnet nun, daß er je feindselige Regungen gegen den geliebten Verstorbenen gehegt hat; aber die Seele des Verstorbenen hegt sie jetzt und wird sie über die ganze Zeit der Trauer zu betätigen bemüht sein. Der Straf- und Reuecharakter dieser Gefühlsreaktion wird sich trotz der geglückten Abwehr durch Projektion darin äußern, daß man sich fürchtet, sich Verzicht auferlegt und sich Einschränkungen unterwirft, die man zum Teil als Schutzmaßregeln gegen den feindlichen Dämon verkleidet. Wir finden so wiederum, daß das Tabu auf dem Boden einer ambivalenten Gefühlseinstellung erwachsen ist. Auch das Tabu der Toten rührt von dem Gegensatze zwischen dem bewußten Schmerz und der unbewußten Befriedigung über den Todesfall her. Bei dieser Herkunft des Grolles der Geister ist es selbstverständlich, daß gerade die nächsten und früher geliebtesten Hinterbliebenen ihn am meisten zu fürchten haben.

Die Tabuvorschriften benehmen sich auch hier zwiespältig wie die neurotischen Symptome. Sie bringen einerseits durch ihren Charakter als Einschränkungen die Trauer zum Ausdruck, anderseits aber verraten sie sehr deutlich, was sie verbergen wollen, die Feindseligkeit gegen den Toten, die jetzt als Notwehr motiviert ist. Einen gewissen Anteil der Tabuverbote haben wir als Versuchungsangst verstehen gelernt. Der Tote ist wehrlos, das muß zur Befriedigung der feindseligen Gelüste an ihm reizen, und dieser Versuchung muß das Verbot entgegengesetzt werden.

Westermarck hat aber Recht, wenn er für die Auffassung der Wilden keinen Unterschied zwischen gewaltsam und natürlich Gestorbenen gelten lassen will. Für das unbewußte Denken ist auch der ein Gemordeter, der eines natürlichen Todes gestorben ist; die bösen Wünsche haben ihn getötet. (Vergl. die nächste Abhandlung dieser Reihe: Animismus, Magie und Allmacht der Gedanken.) Wer sich für Herkunft und Bedeutung der Träume vom Tode teurer Verwandter (der Eltern und Geschwister) interessiert, der wird beim Träumer, beim Kind und beim Wilden die volle Übereinstimmung im Verhalten gegen den Toten, gegründet auf die nämliche Gefühlsambivalenz, feststellen können.

Wir haben vorhin einer Auffassung von Wundt widersprochen, welche das

Wesen des Tabu in der Furcht vor den Dämonen findet, und doch haben wir soeben der Erklärung zugestimmt, welche das Tabu der Toten auf die Furcht vor der zum Dämon gewordenen Seele des Verstorbenen zurückführt. Das schiene ein Widerspruch: es wird uns aber nicht schwer werden, ihn aufzulösen. Wir haben die Dämonen zwar angenommen, aber nicht als etwas Letztes und für die Psychologie Unauflösbares gelten lassen. Wir sind gleichsam hinter die Dämonen gekommen, indem wir sie als Projektionen der feindseligen Gefühle erkennen, welche die Überlebenden gegen die Toten hegen.

Die nach unserer gut begründeten Annahme zwiespältigen – zärtlichen und feindseligen – Gefühle gegen die nun Verstorbenen wollen sich zur Zeit des Verlustes beide zur Geltung bringen, als Trauer und als Befriedigung. Zwischen diesen beiden Gegensätzen muß es zum Konflikt kommen, und da der eine Gegensatzpartner, die Feindseligkeit – ganz oder zum größeren Anteile –, unbewußt ist, kann der Ausgang des Konfliktes nicht in einer Subtraktion der beiden Intensitäten von einander mit bewußter Einsetzung des Überschusses bestehen, etwa wie wenn man einer geliebten Person eine von ihr erlittene Kränkung verzeiht. Der Prozeß erledigt sich vielmehr durch einen besonderen psychischen Mechanismus, den man in der Psychoanalyse als P r o j e k t i o n zu bezeichnen gewohnt ist. Die Feindseligkeit, von der man nichts weiß und auch weiter nichts wissen will, wird aus der inneren Wahrnehmung in die Außenwelt geworfen, dabei von der eigenen Person gelöst und der anderen zugeschoben. Nicht wir, die Überlebenden, freuen uns jetzt darüber, daß wir des Verstorbenen ledig sind; nein, wir trauern um ihn, aber er ist jetzt merkwürdigerweise ein böser Dämon geworden, dem unser Unglück Befriedigung bereiten würde, der uns den Tod zu bringen sucht. Die Überlebenden müssen sich nun gegen diesen bösen Feind verteidigen; sie sind von der inneren Bedrückung entlastet, haben sie aber nur gegen eine Bedrängnis von außen eingetauscht.

Es ist nicht abzuweisen, daß dieser Projektionsvorgang, welcher die Verstorbenen zu böswilligen Feinden macht, eine Anlehnung an den reellen Feindseligkeiten findet, die man von letzteren erinnern und ihnen wirklich zum Vorwurf machen kann. Also an ihrer Härte, Herrschsucht, Ungerechtigkeit, und was sonst den Hintergrund auch der zärtlichsten Verhältnisse unter den Menschen bildet. Aber es kann nicht so einfach zugehen, daß uns dieses Moment für sich allein die Projektionsschöpfung der Dämonen begreiflich mache. Die Verschuldungen der Verstorbenen enthalten gewiß einen Teil der Motivierung für die Feindseligkeit der Überlebenden, aber sie wären unwirksam, wenn nicht diese Feindseligkeit aus ihnen erfolgt wäre, und der Zeitpunkt ihres Todes wäre gewiß der ungeeignetste Anlaß, die Erinnerung an die Vorwürfe zu wecken, die man ihnen zu machen berechtigt war. Wir können die unbewußte Feindseligkeit als das regelmäßig wirkende und eigentlich treibende Motiv nicht entbehren. Diese feindselige Strömung gegen die nächsten und teuersten Angehörigen konnte zu deren Lebzeiten latent bleiben, d. h. sich dem Bewußtsein weder direkt noch indirekt durch irgend eine Ersatzbildung verraten. Mit dem Ableben der gleichzeitig geliebten und gehaßten Personen war dies nicht mehr möglich, der Konflikt wurde akut. Die aus der gesteigerten Zärtlichkeit stammende Trauer wurde einerseits unduldsamer gegen die latente Feindseligkeit, anderseits durfte sie es nicht zulassen, daß sich aus letzterer nun ein Gefühl der Befriedigung ergebe. Somit kam es zur Verdrängung der unbewußten Feindseligkeit auf dem Wege der Projektion, zur Bildung jenes Zeremoniells, in dem die Furcht vor der Bestrafung durch die Dämonen Ausdruck findet, und mit dem zeitlichen Ablauf der Trauer verliert auch der Konflikt an Schärfe, so daß das Tabu dieser Toten sich abschwächen oder in Vergessenheit versinken darf.

## 4

Haben wir so den Boden geklärt, auf dem das überaus lehrreiche Tabu der Toten erwachsen ist, so wollen wir nicht versäumen, einige Bemerkungen anzuknüpfen, die für das Verständnis des Tabu überhaupt bedeutungsvoll werden können.

Die Projektion der unbewußten Feindseligkeit beim Tabu der Toten auf die Dämonen ist nur ein einzelnes Beispiel aus einer Reihe von Vorgängen, denen der größte Einfluß auf die Gestaltung des primitiven Seelenlebens zugesprochen werden muß. In dem betrachteten Falle dient die Projektion der Erledigung eines Gefühlskonfliktes; sie findet die nämliche Verwendung in einer großen Anzahl von psychischen Situationen, die zur Neurose führen. Aber die Projektion ist nicht für die Abwehr geschaffen, sie kommt auch zu Stande, wo es keine Konflikte gibt. Die Projektion innerer Wahrnehmungen nach außen ist ein primitiver Mechanismus, dem z. B. auch unsere Sinneswahrnehmungen unterliegen, der also an der Gestaltung unserer Außenwelt normalerweise den größten Anteil hat. Unter noch nicht genügend festgestellten Bedingungen werden innere Wahrnehmungen auch von Gefühls- und Denkvorgängen wie die Sinneswahrnehmungen nach außen projiziert, zur Ausgestaltung der Außenwelt verwendet, während sie der Innenwelt verbleiben sollten. Es hängt dies vielleicht genetisch damit zusammen, daß die Funktion der Aufmerksamkeit ursprünglich nicht der Innenwelt, sondern den von der Außenwelt zuströmenden Reizen zugewendet war, und von den endopsychischen Vorgängen nur die Nachrichten über Lust- und

Unlustentwicklungen empfing. Erst mit der Ausbildung einer abstrakten Denksprache, durch die Verknüpfung der sinnlichen Reste der Wortvorstellungen mit inneren Vorgängen, wurden diese selbst allmählich wahrnehmungsfähig. Bis dahin hatten die primitiven Menschen durch Projektion innerer Wahrnehmungen nach außen ein Bild der Außenwelt entwickelt, welches wir nun mit erstarkter Bewußtseinswahrnehmung in Psychologie zurückübersetzen müssen.

Die Projektion der eigenen bösen Regungen in die Dämonen ist nur ein Stück eines Systems, welches die »Weltanschauung« der Primitiven geworden ist und das wir in der nächsten Abhandlung dieser Reihe als das »animistische« kennen lernen werden. Wir werden dann die psychologischen Charaktere einer solchen Systembildung festzustellen haben und unsere Anhaltspunkte in der Analyse jener Systembildungen finden, welche uns wiederum die Neurosen entgegenbringen. Wir wollen vorläufig nur verraten, daß die sogenannte »sekundäre Bearbeitung« des Trauminhaltes das Vorbild für alle diese Systembildungen ist. Vergessen wir auch nicht daran, daß es vom Stadium der Systembildung an zweierlei Ableitungen für jeden vom Bewußtsein beurteilten Akt gibt, die systematische und die reale, aber unbewußte.

Wundt bemerkt, daß »unter den Wirkungen, die der Mythus allerorten den Dämonen zuschreibt, zunächst die unheilvollen überwiegen, so daß im Glauben der Völker sichtlich die bösen Dämonen älter sind als die guten«. Es ist nun sehr wohl möglich, daß der Begriff des Dämons überhaupt aus der so bedeutsamen Relation zu den Toten gewonnen wurde. Die diesem Verhältnis innewohnende Ambivalenz hat sich dann im weiteren Verlaufe der Menschheitsentwicklung darin geäußert, daß sie aus der nämlichen Wurzel zwei völlig entgegengesetzte psychische Bildungen hervorgehen ließ: Dämonen- und Gespensterfurcht einerseits, die Ahnenverehrung anderseits. Daß die Dämonen stets als die Geister kürzlich Verstorbener gefaßt werden, bezeugt wie nichts anderes den Einfluß der Trauer auf die Entstehung des Dämonenglaubens. Die Trauer hat eine ganz bestimmte psychische Aufgabe zu erledigen, sie soll die Erinnerungen und Erwartungen der Überlebenden von den Toten ablösen. Ist diese Arbeit geschehen, so läßt der Schmerz nach, mit ihm die Reue und der Vorwurf und darum auch die Angst vor dem Dämon. Dieselben Geister aber, die zunächst als Dämonen gefürchtet wurden, gehen nun der freundlicheren Bestimmung entgegen, als Ahnen verehrt und zur Hilfeleistung angerufen zu werden.

Überblickt man das Verhältnis der Überlebenden zu den Toten im Wandel der Zeiten, so ist es unverkennbar, daß dessen Ambivalenz außerordentlich nachgelassen hat. Es gelingt jetzt leicht, die unbewußte, immer noch nachweisbare Feindseligkeit gegen die Toten niederzuhalten, ohne daß es eines besonderen seelischen Aufwandes hiefür bedürfte. Wo früher der befriedigte Haß und die schmerzhafte Zärtlichkeit miteinander gerungen haben, da erhebt sich heute wie eine Narbenbildung die Pietät und fordert das: De mortuis nil nisi bene. Nur die Neurotiker trüben noch die Trauer um den Verlust eines ihrer Teuren durch Anfälle von Zwangsvorwürfen, welche in der Psychoanalyse die alte ambivalente Gefühlseinstellung als ihr Geheimnis verraten. Auf welchem Wege diese Änderung herbeigeführt wurde, inwieweit sich konstitutionelle Änderung und reale Besserung der familiären Beziehungen in deren Verursachung teilen, das braucht hier nicht erörtert zu werden. Aber man könnte durch dieses Beispiel zur Annahme geführt werden, es sei den Seelenregungen der Primitiven überhaup ein höheres Maß von Ambivalenz zuzugestehen, als bei de heute lebenden Kulturmenschen aufzufinden ist. Mit de Abnahme dieser Ambivalenz schwand auch langsam da Tabu, das Kompromißsymptom des Ambivalenzkonfliktes. Von den Neurotikern, welche genötigt sind, diesen Kampf und das aus ihm hervorgehende Tabu zu reproduzieren, würden wir sagen, daß sie eine archaistische Konstitution als atavistischen Rest mit sich gebracht haben, deren Kompensation im Dienste der Kulturanforderung sie nun zu so ungeheuerlichem seelischen Aufwand zwingt.

Wir erinnern uns an dieser Stelle der durch ihre Unklarheit verwirrenden Auskunft, welche unsWundt über die Doppelbedeutung des Wortes Tabu: heilig und unrein geboten hat (s. o.). Ursprünglich habe das Wort Tabu heilig und unrein noch nicht bedeutet, sondern habe das Dämonische bezeichnet, das nicht berührt werden darf, und somit ein wichtiges, den beiden extremen Begriffen gemeinsames Merkmal hervorgehoben, doch beweise diese bleibende Gemeinschaft, daß zwischen den beiden Gebieten des Heiligen und des Unreinen eine ursprüngliche Übereinstimmung obwalte, die erst später einer Differenzierung gewichen sei.

Im Gegensatze hiezu leiten wir aus unseren Erörterungen mühelos ab, daß dem Worte Tabu von allem Anfang an die erwähnte Doppelbedeutung zukommt, daß es zur Bezeichnung einer bestimmten Ambivalenz dient und alles dessen, was auf dem Boden dieser Ambivalenz erwachsen ist. Tabu ist selbst ein ambivalentes Wort, und nachträglich meinen wir, man hätte aus dem festgestellten Sinne dieses Wortes allein erraten können, was sich als Ergebnis weitläufiger Untersuchung herausgestellt hat, daß das Tabuverbot als das Resultat einer Gefühlsambivalenz zu verstehen ist. Das Studium der ältesten Sprachen hat uns belehrt, daß es einst viele solche Worte gab, welche Gegensätze in sich faßten, in gewissem – wenn auch nicht in ganz dem nämlichen Sinne – wie das Wort Tabu ambivalent waren. Geringe lautliche Modifikationen des gegensinnigen Urwortes haben später dazu gedient, um den beiden hier vereinigten Gegensätzen einen gesonderten sprachlichen

Ausdruck zu schaffen.

Das Wort Tabu hat ein anderes Schicksal gehabt; mit der abnehmenden Wichtigkeit der von ihm bezeichneten Ambivalenz ist es selbst, respektive sind die ihm analogen Worte aus dem Sprachschatz geschwunden. Ich hoffe, in späterem Zusammenhange wahrscheinlich machen zu können, daß sich hinter dem Schicksal dieses Begriffes eine greifbare historische Wandlung verbirgt, daß das Wort zuerst an ganz bestimmten menschlichen Relationen haftete, denen die große Gefühlsambivalenz eigen war, und daß es von hier aus auf andere, analoge Relationen ausgedehnt wurde.

Wenn wir nicht irren, so wirft das Verständnis des Tabu auch ein Licht auf die Natur und Entstehung des Gewissens. Man kann ohne Dehnung der Begriffe von einem Tabugewissen und von einem Tabuschuldbewußtsein nach Übertretung des Tabu sprechen. Das Tabugewissen ist wahrscheinlich die älteste Form, in welcher uns das Phänomen des Gewissens entgegentritt.

Denn was ist »Gewissen«? Nach dem Zeugnis der Sprache gehört es zu dem, was man am gewissesten weiß; in manchen Sprachen scheidet sich seine Bezeichnung kaum von der des Bewußtseins.

Gewissen ist die innere Wahrnehmung von der Verwerfung bestimmter in uns bestehender Wunschregungen; der Ton liegt aber darauf, daß diese Verwerfung sich auf nichts anderes zu berufen braucht, daß sie ihrer selbst gewiß ist. Noch deutlicher wird dies beim Schuldbewußtsein, der Wahrnehmung der inneren Verurteilung solcher Akte, durch die wir bestimmte Wunschregungen vollzogen haben. Eine Begründung erscheint hier überflüssig; jeder, der ein Gewissen hat, muß die Berechtigung der Verurteilung, den Vorwurf wegen der vollzogenen Handlung, in sich verspüren. Diesen nämlichen Charakter zeigt aber das Verhalten der Wilden gegen das Tabu; das Tabu ist ein Gewissensgebot, seine Verletzung läßt ein entsetzliches Schuldgefühl entstehen, welches ebenso selbstverständlich wie nach seiner Herkunft unbekannt ist.

Also entsteht wahrscheinlich auch das Gewissen auf dem Boden einer Gefühlsambivalenz aus ganz bestimmten menschlichen Relationen, an denen diese Ambivalenz haftet, und unter den für das Tabu und die Zwangsneurose geltend gemachten Bedingungen, daß das eine Glied des Gegensatzes unbewußt sei und durch das zwanghaft herrschende andere verdrängt erhalten werde. Zu diesem Schlusse stimmt mehrerlei, was wir aus der Analyse der Neurose gelernt haben. Erstens, daß im Charakter der Zwangsneurotiker der Zug der peinlichen Gewissenhaftigkeit hervortritt als Reaktionssymptom gegen die im Unbewußten lauernde Versuchung, und daß bei Steigerung des Krankseins die höchsten Grade von Schuldbewußtsein von ihnen entwickelt werden. Man kann in der Tat den Ausspruch wagen, wenn wir nicht an den

Zwangskranken die Herkunft des Schuldbewußtseins ergründen können, so haben wir überhaupt keine Aussicht, dieselbe je zu erfahren. Die Lösung dieser Aufgabe gelingt nun beim einzelnen neurotischen Individuum; für die Völker getrauen wir uns eine ähnliche Lösung zu erschließen.

Zweitens muß es uns auffallen, daß das Schuldbewußtsein viel von der Natur der Angst hat; es kann ohne Bedenken als »Gewissensangst« beschrieben werden. Die Angst deutet aber auf unbewußte Quellen hin; wir haben aus der Neurosenpsychologie gelernt, daß, wenn Wunschregungen der Verdrängung unterliegen, deren Libido in Angst verwandelt wird. Dazu wollen wir erinnern, daß auch beim Schuldbewußtsein etwas unbekannt und unbewußt ist, nämlich die Motivierung der Verwerfung. Diesem Unbekannten entspricht der Angstcharakter des Schuldbewußtseins.

Wenn das Tabu sich vorwiegend in Verboten äußert, so ist eine Überlegung denkbar, die uns sagt, es sei ganz selbstverständlich und bedürfe keines weitläufigen Beweises aus der Analogie mit der Neurose, daß ihm eine positive, begehrende Strömung zu Grunde liege. Denn, was niemand zu tun begehrt, das braucht man doch nicht zu verbieten, und jedenfalls muß das, was aufs nachdrücklichste verboten wird, doch Gegenstand eines Begehrens sein. Wenden wir diesen plausibeln Satz auf unsere Primitiven an, so müßten wir schließen, es gehöre zu ihren stärksten Versuchungen, ihre Könige und Priester zu töten, Inzest zu verüben, ihre Toten zu mißhandeln und dergleichen. Das ist nun kaum wahrscheinlich; den entschiedensten Widerspruch erwecken wir aber, wenn wir den nämlichen Satz an den Fällen messen, in welchen wir selbst die Stimme des Gewissens am deutlichsten zu vernehmen glauben. Wir würden dann mit einer nicht zu übertreffenden Sicherheit behaupten, daß wir nicht die geringste Versuchung verspüren, eines dieser Gebote zu übertreten, z. B. das Gebot: Du sollst nicht morden, und daß wir vor der Übertretung desselben nichts anderes verspüren als Abscheu.

Mißt man dieser Aussage unseres Gewissens die Bedeutung bei, die sie beansprucht, so wird einerseits das Verbot überflüssig – das Tabu sowohl, wie unser Moralverbot –, anderseits bleibt die Tatsache des Gewissens unerklärt und die Beziehungen zwischen Gewissen, Tabu und Neurose entfallen; es ist also jener Zustand unseres Verständnisses hergestellt, der auch gegenwärtig besteht, so lange wir nicht psychoanalytische Gesichtspunkte auf das Problem anwenden.

Wenn wir aber der durch Psychoanalyse – an den Träumen Gesunder – gefundenen Tatsache Rechnung tragen, daß die Versuchung, den anderen zu töten, auch bei uns stärker und häufiger ist, als wir ahnen, und daß sie psychische Wirkungen äußert, auch wo sie sich unserem Bewußtsein nicht kundgibt, wenn wir ferner in den Zwangsvorschriften gewisser Neurotiker die

Sicherungen und Selbstbestrafungen gegen den verstärkten Impuls, zu morden, erkannt haben, dann werden wir zu dem vorhin aufgestellten Satz: Wo ein Verbot vorliegt, müßte ein Begehren dahinter sein, mit neuer Schätzung zurückkehren. Wir werden annehmen, daß dies Begehren, zu morden, tatsächlich im Unbewußten vorhanden ist, und daß das Tabu wie das Moralverbot psychologisch keineswegs überflüssig ist, vielmehr durch die ambivalente Einstellung gegen den Mordimpuls erklärt und gerechtfertigt wird.

Der eine so häufig als fundamental hervorgehobene Charakter dieses Ambivalenzverhältnisses, daß die positive begehrende Strömung eine unbewußte ist, eröffnet einen Ausblick auf weitere Zusammenhänge und Erklärungsmöglichkeiten. Die psychischen Vorgänge im Unbewußten sind nicht durchwegs mit jenen identisch, die uns aus unserem bewußten Seelenleben bekannt sind, sondern genießen gewisse beachtenswerte Freiheiten, die den letzteren entzogen worden sind. Ein unbewußter Impuls braucht nicht dort entstanden zu sein, wo wir seine Äußerung finden; er kann von ganz anderer Stelle herstammen, sich ursprünglich auf andere Personen und Relationen bezogen haben und durch den Mechanismus derV e r s c h i e b u n g dorthin gelangt sein, wo er uns auffällt. Er kann ferner dank der Unzerstörbarkeit und Unkorrigierbarkeit unbewußter Vorgänge aus sehr frühen Zeiten, denen er angemessen war, in spätere Zeiten und Verhältnisse hinübergerettet werden, in denen seine Äußerungen fremdartig erscheinen müssen. All dies sind nur Andeutungen, aber eine sorgfältige Ausführung derselben würde zeigen, wie wichtig sie für das Verständnis der Kulturentwicklung werden können.

Zum Schlusse dieser Erörterungen wollen wir eine spätere Untersuchungen vorbereitende Bemerkung nicht versäumen. Wenn wir auch an der Wesensgleichheit von Tabuverbot und Moralverbot festhalten, so wollen wir doch nicht bestreiten, daß eine psychologische Verschiedenheit zwischen beiden bestehen muß. Eine Veränderung in den Verhältnissen der grundlegenden Ambivalenz kann allein die Ursache sein, daß das Verbot nicht mehr in der Form des Tabu erscheint.

Wir haben uns bisher in der analytischen Betrachtung der Tabuphänomene von den nachweisbaren Übereinstimmungen mit der Zwangsneurose leiten lassen, aber das Tabu ist doch keine Neurose, sondern eine soziale Bildung; somit obliegt uns die Aufgabe, auch darauf hinzuweisen, worin der prinzipielle Unterschied der Neurose von einer Kulturschöpfung wie das Tabu zu suchen ist.

Ich will hier wiederum eine einzelne Tatsache zum Ausgangspunkt nehmen. Von der Übertretung eines Tabu wird bei den Primitiven eine Strafe befürchtet, meist eine schwere Erkrankung oder der Tod. Diese Strafe droht nun dem, der sich die Übertretung hat zu Schulden kommen lassen. Bei der Zwangsneurose ist dies anders. Wenn der Kranke etwas ihm Verbotenes ausführen soll, so fürchtet er die Strafe nicht für sich, sondern für eine andere Person, die meist unbestimmt gelassen ist, aber durch die Analyse leicht als eine der ihm nächsten und von ihm geliebtesten Personen erkannt wird. Der Neurotiker verhält sich also hiebei wie altruistisch, der Primitive wie egoistisch. Erst wenn die Tabuübertretung sich am Missetäter nicht spontan gerächt hat, dann erwacht bei den Wilden ein kollektives Gefühl, daß sie durch den Frevel alle bedroht wären, und sie beeilen sich, die ausgebliebene Bestrafung selbst zu vollstrecken. Wir haben es leicht, uns den Mechanismus dieser Solidarität zu erklären. Die Angst vor dem ansteckenden Beispiel, vor der Versuchung zur Nachahmung, also vor der Infektionsfähigkeit des Tabu ist hier im Spiele. Wenn einer es zustandegebracht hat, das verdrängte Begehren zu befriedigen, so muß sich in allen Gesellschaftsgenossen das gleiche Begehren regen; um diese Versuchung niederzuhalten, muß der eigentlich Beneidete um die Frucht seines Wagnisses gebracht werden, und die Strafe gibt den Vollstreckern nicht selten Gelegenheit, unter der Rechtfertigung der Sühne dieselbe frevle Tat auch ihrerseits zu begehen. Es ist dies ja eine der Grundlagen der menschlichen Strafordnung, und sie hat, wie gewiß richtig, die Gleichartigkeit der verbotenen Regungen beim Verbrecher wie bei der rächenden Gesellschaft zur Voraussetzung.

Die Psychoanalyse bestätigt hier, was die Frommen zu sagen pflegen, wir seien alle arge Sünder. Wie soll man nun den unerwarteten Edelsinn der Neurose erklären, die nichts für sich und alles für eine geliebte Person fürchtet? Die analytische Untersuchung zeigt, daß er nicht primär ist. Ursprünglich, d. h. zu Anfang der Erkrankung, galt die Strafandrohung wie bei den Wilden der eigenen Person; man fürchtete in jedem Falle für sein eigenes Leben; erst später wurde die Todesangst auf eine andere geliebte Person verschoben. Der Vorgang ist einigermaßen kompliziert, aber wir übersehen ihn vollständig. Zugrunde der Verbotbildung liegt regelmäßig eine böse Regung – ein Todeswunsch – gegen eine geliebte Person. Diese wird durch ein Verbot verdrängt, das Verbot an eine gewisse Handlung geknüpft, welche etwa die feindselige gegen die geliebte Person durch Verschiebung vertritt, die Ausführung dieser Handlung mit der Todesstrafe bedroht. Aber der Prozeß geht weiter, und der ursprüngliche Todeswunsch gegen den geliebten anderen ist dann durch die Todesangst um ihn ersetzt. Wenn die Neurose sich also so zärtlich altruistisch erweist, so *kompensiert* sie damit nur die ihr zugrunde liegende gegenteilige Einstellung eines brutalen Egoismus. Heißen wir die Gefühlsregungen, die durch die Rücksicht auf den anderen bestimmt werden, und ihn nicht selbst zum Sexualobjekt nehmen, *soziale*, so können wir das Zurücktreten dieser sozialen Faktoren als einen später durch

Überkompensation verhüllten Grundzug der Neurose herausheben.

Ohne uns bei der Entstehung dieser sozialen Regungen und ihrer Beziehung zu den anderen Grundtrieben des Menschen aufzuhalten, wollen wir an einem anderen Beispiel den zweiten Hauptcharakter der Neurose zum Vorschein bringen. Das Tabu hat in seiner Erscheinungsform die größte Ähnlichkeit mit der Berührungsangst der Neurotiker, dem Délire de toucher. Nun handelt es sich bei dieser Neurose regelmäßig um das Verbot sexueller Berührung, und die Psychoanalyse hat ganz allgemein gezeigt, daß die Triebkräfte, welche in der Neurose abgelenkt und verschoben werden, sexueller Herkunft sind. Beim Tabu hat die verbotene Berührung offenbar nicht nur sexuelle Bedeutung, sondern vielmehr die allgemeinere des Angreifens, der Bemächtigung, des Geltendmachens der eigenen Person. Wenn es verboten ist, den Häuptling oder etwas, was mit ihm in Berührung war, selbst zu berühren, so soll damit demselben Impuls eine Hemmung angelegt werden, der sich andere Male in der argwöhnischen Überwachung des Häuptlings, ja in seiner körperlichen Mißhandlung vor der Krönung (s. oben) zum Ausdruck bringt. Somit ist das Überwiegen der sexuellen Triebanteile gegen di sozialen das für die Neurose charakteristische MomentDie sozialen Triebe sind aber selbst durch Zusammentreten von egoistischen und erotischen Komponenten zu besonderen Einheiten entstanden.

An dem einen Beispiele von Vergleich des Tabu mit der Zwangsneurose läßt sich bereits erraten, welches das Verhältnis der einzelnen Formen von Neurose zu den Kulturbildungen ist, und wodurch das Studium der Neurosenpsychologie für das Verständnis der Kulturentwicklung wichtig wird.

Die Neurosen zeigen einerseits auffällige und tiefreichende Übereinstimmungen mit den großen sozialen Produktionen der Kunst, der Religion und der Philosophie, anderseits erscheinen sie wie Verzerrungen derselben. Man könnte den Ausspruch wagen, eine Hysterie sei ein Zerrbild einer Kunstschöpfung, eine Zwangsneurose ein Zerrbild einer Religion, ein paranoischer Wahn ein Zerrbild eines philosophischen Systems. Diese Abweichung führt sich in letzter Auflösung darauf zurück, daß die Neurosen asoziale Bildungen sind; sie suchen mit privaten Mitteln zu leisten, was in der Gesellschaft durch kollektive Arbeit entstand. Bei der Triebanalyse der Neurosen erfährt man, daß in ihnen die Triebkräfte sexueller Herkunft den bestimmenden Einfluß ausüben, während die entsprechenden Kulturbildungen auf sozialen Trieben ruhen, solchen, die aus der Vereinigung egoistischer und sexueller Anteile hervorgegangen sind. Das Sexualbedürfnis ist eben nicht imstande, die Menschen in ähnlicher Weise wie die Anforderungen der Selbsterhaltung zu einigen; die Sexualbefriedigung ist zunächst die Privatsache des Individuums.

Genetisch ergibt sich die asoziale Natur der Neurose aus deren ursprünglichster Tendenz, sich aus einer unbefriedigenden Realität in eine lustvollere Phantasiewelt zu flüchten. In dieser vom Neurotiker gemiedenen realen Welt herrscht die Gesellschaft der Menschen und die von ihnen gemeinsam geschaffenen Institutionen; die Abkehrung von der Realität ist gleichzeitig ein Austritt aus der menschlichen Gemeinschaft.

Milton Keynes UK
Ingram Content Group UK Ltd.
UKHW040631301023
431584UK00004B/250